1.450

E. PEREZ

MARK

La balsa de la Medusa

Hölderlin y los griegos

Salvador Mas

Hölderlin y los griegos

La balsa de la Medusa
Visor

La balsa de la Medusa, 96

Colección dirigida por
Valeriano Bozal

© Salvador Mas, 1999
© de la presente edición, Visor Dis., S.A., 1999
Tomás Bretón, 55, 28045 Madrid
ISBN: 84-7774-596-X
Depósito legal: M-14.870-1999

Visor Fotocomposición
Impreso en España - *Printed in Spain*
Gráficas Rógar, S.A.
Navalcarnero (Madrid)

Índice

Nota previa

En castellano existen excelentes traducciones de algunas obras de Hölderlin: *Ensayos* (traducción, presentación y notas de Felipe Martínez Marzoa, Madrid, Hiperión, 1990), *Hiperión. Versiones previas* (edición de Anacleto Ferrer, Madrid, Hiperión, 1989), *Hiperión o el eremita en Grecia* (traducción y prólogo de Jesús Munarriz, Madrid, Hiperión, 1996), *Los himnos de Tubinga* (traducción y estudio introductorio de Carlos Durán y Daniel Innerarity, Madrid, Hiperión, 1991), *Las grandes elegías* (versión castellana y estudio preliminar de Jenaro Talens, Madrid, Hiperión, 1994), *Poemas de la locura* (traducción y notas de Txaro Santoro y Jose María Álvarez, Madrid, Hiperión, 1996), *Empédocles* (presentación, traducción y notas de Anacleto Ferrer, Madrid, Hiperión, 1997), *Correspondencia completa* (traducción e introducción de Helena Cortes y Arturo Leyte, Madrid, Hiperión, 1990). En mi trabajo he utilizado, con muy ligeras y ocasionales variaciones, todas estas versiones, que son por las que cito en las notas a pie de página; entre paréntesis, y con las siglas St.A., me refiero también a la *Stuttgarter Ausgabe* de Beibner, cuyo texto traduzco cuando no disponía de una versión castellana fiable. La numeración de los versos de los poemas citados se hace igualmente a partir de la edición de Beibner, aún en el caso de que utilice algunas de las traducciones mencionadas; lo mismo sucede en el caso de las Cartas de Hölderlin.

I

Clásicos y románticos

El interés por la cultura y la educación, así como la recuperación del legado de la Grecia clásica fueron dos de los temas que más ocuparon a los pensadores de los tiempos que le tocó vivir a Hölderlin. Ambas cuestiones son cara y cruz de una misma moneda, aunque sólo sea porque los griegos fueron los primeros en desarrollar el ideal de una *paideia* y en intentar vivir de acuerdo con él. Este ideal se refiere, en primer lugar, a uno mismo, a la exigencia de desarrollo hasta alcanzar la máxima perfección posible, al deber de convertir en realidad práctica lo que teóricamente son sólo modelos; por ejemplo, los que proporciona la Grecia clásica. Pues Grecia es modelo, sobre todo porque fue capaz de plasmar en instituciones y en obras de arte lo que eran, en efecto, modelos, *Urbildern* para decirlo con Goethe.

En primer lugar, modelos de belleza que alumbran bellas realidades. Belleza que, según el ideal griego de *kalokagathía*, se recubre y manifiesta como virtud. Pero la belleza tiene también otra cara, que se plasma en la naturaleza. De lo que se trata, por tanto, es de pensar «como los griegos», y esto, para muchos autores de esta época, quiere decir descubrir lo bello en la naturaleza, la naturaleza como belleza y la naturaleza y la belleza como manifestaciones de esa divinidad que, según Hölderlin, habita en todos nosotros. La tríada «belle-

13

za-naturaleza-divinidad» fue captada y expresada plástica, literaria y filosóficamente por los griegos, pues ellos dieron palabras para poder hablar de estas cosas, y al decirlas las elevaron a un plano de permanencia e intemporalidad: la naturaleza, como lo divino y lo bello, es en un presente sin sucesividad temporal. Tal era, al menos en teoría, el ideal que movía a los pensadores y poetas del clasicismo.

Pero hay también, no conviene olvidarlo, un deseo de autoafirmación de la nación alemana: Alemania heredera de la auténtica y verdadera Grecia *(das echte Griechentum)* frente al falso *à la greque* de Francia. Se piensa que, en una especie de palingenesia, Grecia revivirá en Alemania. Pero al mismo tiempo, existe la clara conciencia de que Grecia es sólo Grecia. Por circunscribirlo al terreno estético: Grecia representa un máximo de arte nacional, que Alemania no debe imitar de manera servil, sino conseguir, precisamente frente al arte francés barroco-clasicista, ese máximo de arte nacional que los griegos fueron capaces de alcanzar. En este sentido, Grecia es, como decía, «modelo», por ser un momento de máximo esplendor y perfección, un momento «clásico» y, por eso, normativo. Lo pasado se proyecta así al futuro y el presente se vive como un instante o momento de mediación, de dolorosa mediación entre dos sueños, el de un pasado glorioso y el de un futuro aún por venir.

De ahí el peligro (vislumbrado por muchos de ellos, vivido por algunos y conjurado por pocos) de la inanidad de la recuperación de una Grecia sólo presente, valga la paradoja, como pasado y, en alguna medida, como rémora enemiga de un *Zeitgeist* que ya mira a la máquina y al capital y que, a fin de cuentas, sólo consiente en su seno reconciliaciones más o menos esteticistas. Dicho de otro modo: la partida estaba perdida de antemano y Grecia fue en gran medida un intento de marcar los naipes o cargar los dados para forzar tramposamente el resultado. El truco del clasicismo fue convertir la Grecia histórica (sea esto lo que quie-

14

ra que sea) no en una realidad ahistórica, sino en una realidad suprahistórica; el del romanticismo, intensificar una perspectiva escatológica e histórica por relación a la cual Grecia es sólo un momento anunciador o anticipador de los hechos fundamentales del cristianismo, particularmente su mensaje de amor y reconciliación.

La misma necesidad de «hacer trucos» es manifestación de la profunda insatisfacción con la que se vivía el presente; para remediar esta desazón hay que acudir a la construcción de ideales. A este respecto, la Grecia clásica es un buen candidato a ocupar este puesto, a la vez, ideal y de ideal, pues tiene la gran ventaja de poderse «ver», por ejemplo, en su literatura o en sus manifestaciones plásticas. Tal es, en efecto, el «truco»: pues, ciertamente, se ve, pero como pasado. Caben entonces dos posibilidades: o bien se piensa que lo pasado pasado está y se toma conciencia de lo histórico o, de forma más pesimista, de la mutabilidad y caducidad de todas las cosas, incluso las más excelsas (la misma Grecia, por ejemplo); o bien se piensa que lo pasado no está realmente pasado, sino sólo dormido y a la espera de ser despertado, no por un beso, sino poéticamente (o incluso por una praxis revolucionaria más o menos radical). Pero con esta misma alternativa está planteada la tensión, pues, como ya señalaba, el despertar no puede ser imitación servil, ya que las imitaciones no restañan las profundas heridas de la insatisfacción, sino que más bien acaban ahondándolas. ¿Qué hacer entonces? La pregunta es fatídica, pues sin abandonar la primera posibilidad se hace presente, de manera irreconciliable, la segunda.

Pero cabe una posibilidad para escapar de esta tensión, a saber, convertirla en un «tema». Por ejemplo: escribir ensayos sobre la literatura griega en los que se tematiza que la imitación no lo es de la letra, sino del espíritu. Friedrich Schlegel, sin ir más lejos, señala que no hay que imitar los detalles, sino «el espíritu del todo: el escritor moderno que aspire a un arte auténticamente bello debe apropiarse de la pura grieguidad»[1], y añade que Goethe es el que ha marcado el camino. Este juvenil Schlegel está en la estela de Winckelmann, que en sus *Gedanken über die Nachahmung der griechischen Werke in der Malerei und Bildhauerkunst*[2], adoptando en apariencia la posición de los *anciens*, comienza diciendo de forma programática que el único camino de grandeza que le queda a la modernidad pasa necesariamente por la imitación de los antiguos. Digo «aparentemente» porque pocas páginas más adelante añade: «El estudio de la naturaleza debe, pues, ser un camino por lo menos tan largo y fatigoso para el conocimiento de lo plenamente bello, como lo es el estudio de los antiguos». Los antiguos se caracterizaron precisamente por esto, por haber estudiado profundamente la naturaleza. No se trata, en consecuencia, de imitarlos en su facticidad dada, sino en su forma de proceder y los griegos, por seguir con el mismo juego de palabras, imitaron el espíritu de la naturaleza, no su letra. En su labor creadora no fueron «naturalistas», sino que crearon como la naturaleza, y así pusieron de manifiesto la armonía y las afinidades entre las leyes de la naturaleza y las del arte, alcanzando de este modo una síntesis entre éstas y aquéllas. Los griegos, pues, fueron capaces de conjugar libertad y necesidad, pero no como dos extremos que se enfrentan en un dualismo irreconciliable, sino al modo del heracliteano y hölderlineano «lo Uno en sí mismo dividido» *(hen diaferon heauto)*. Ver la necesidad en la libertad (y viceversa) es lo mismo que ver la naturaleza en el arte (y viceversa).

Pero hay que poder crear palabras que nombren esa síntesis de libertad y necesidad, que expresen cómo la belleza supera la necesidad del instante perecedero y sitúa lo que

---

[1] K.A., I, pp. 346-347.
[2] En *Ausgewählte Schriften und Briefe*, ed. de W. Rehm, Wiesbaden, 1948.

toca en el ámbito de la libertad de la duración intemporal. Los griegos fueron los que lograron esta hazaña y por eso hay que regresar a ellos. Vuelvo a remarcarlo: la pregunta era por la posibilidad de una cultura auténticamente moderna y por eso heredera, en el sentido indicado, de la cultura griega. El problema no era cómo escribir tragedias o poesías de temática griega, *à la grecque*, sino cómo sacar a la luz, en un arte verdaderamente nacional y moderno, el espíritu griego adormecido durante tantos y tantos siglos. Un problema, en definitiva, no ya teórico, sino práctico. Como dice F. Schlegel a su hermano en carta del 27 de febrero de 1794: «El problema de nuestra poesía me parece ser el de la unificación de lo esencialmente-moderno con lo esencialmente-antiguo»[3], reconociendo así tanto la fundamental diferencia entre lo antiguo y lo moderno como la necesidad imperiosa de conseguir su unificación. En esta misma carta, Schlegel añade que Goethe fue el primero que se aproximó a esta meta, al igual que también fue él el que, según el mismo Schlegel, ejemplifica que lo que hay que imitar es el «Espíritu del Todo» y «la pura grieguidad». Entre Grecia y su aprehensión moderna se alza la majestuosa figura de Goethe.

Walter Benjamin ha escrito páginas decisivas sobre la relación de Goethe y los griegos[4]. De acuerdo con Benjamin, Goethe pregunta por el ideal del arte, que es aprehensible en una multiplicidad limitada de contenidos puros entre los que se distribuye. El ideal del arte se manifiesta en una discontinuidad limitada y armónica de tales contenidos puros, que Goethe denomina *Urbilder*, y que no se encuentran en ninguna obra concreta, ni pueden ser alcan-

[3] *Kritische Ausgabe* (ed. de E. Behler), vol. XXIII, Padeborn/München/Wien, 1987.
[4] Cfr. *Der Begriff der Kunstkritik in der deutschen Romantik*, en esp. el capt. «Die frühromantische Kunsttheorie und Goethe», en *Gesammelte Schriften*, bd. I-1, Frankfurt, Suhrkamp. 1974, pp. 110 y ss.

zados en su plenitud, aunque sí cabe aproximarse a ellos en mayor o menor grado. Por otra parte, de acuerdo con la lectura que Benjamin ofrece de Goethe, para éste último la fuente originaria *(Urquell)* del arte no reside en el eterno devenir del movimiento creador, pues el arte mismo no crea sus *Urbilder,* sino que éstos, antes de toda obra, residen en aquella esfera del arte donde éste no es creación, sino naturaleza. A esta esfera, como decía, cabe aproximarse más o menos; los griegos lo hicieron en máximo grado y por eso sus obras tienen valor canónico, son *Vorbilder,* obras autónomas cerradas en sí mismas y, por consiguiente, con valor eterno. Como la misma naturaleza, pues para la mirada morfológica de Goethe naturaleza y arte constituyen un todo armónico.

Schiller ve la Grecia clásica (me refiero al principio de lo clásico que se engendró y habitó entre los griegos) en y a través de Goethe. Schiller, sin duda un enorme poeta pero no poseído por el *pathos* grandioso de Goethe (un personaje de impresionante facilidad para transmutar y hacer suyo de forma genial todo lo que tocaba: desde la Grecia clásica hasta la morfología de las plantas), fue en alguna medida un heredero traidor a su herencia. Pues si, por ejemplo, en la *Ifigenia* de Goethe, ciertamente pasado y filtrado por su tamiz, se ve y se toca lo griego, en Schiller, y ahora estoy pensando particularmente en su *Götter Griechenlands,* lo que se ve y se toca no es lo griego, sino su recuerdo: el horror ante unos dioses que se han ido y el lamento por lo que ha muerto irremisiblemente. Pero queda, al menos, el ideal de una ética transmutada en estética y de una estética que sólo se reconoce en su valor ético, es decir, la unidad de arte y ética: cómo el hombre descubre en el arte su ser más propio y cómo el arte puede alumbrar el ideal de una humanidad que, superando la necesidad, encuentra la libertad. Un ideal, pues, de totalidad, que había sido hecho realidad en la Grecia clásica y en su arte y que sus héroes y dioses

habían hecho visible. Si está muerta y perdida la Arcadia,
aún es posible un nuevo Eliseo. }16.

Desde esta perspectiva schilleriana lo griego sigue siendo, como en Goethe o Winckelmann, un máximo, pero no
incondicionado, sino condicionado. Esa totalidad en la que
vivían los griegos y en la que se entremezclaban y confun-
dían armónicamente arte, ética, naturaleza, lo humano y lo
divino, esa totalidad es irrecuperable en su contenido material y objetivo. Ahora bien, los griegos mostraron al menos
su posibilidad; y si ha sido posible puede volver a serlo,
pero tendrá que ser una totalidad de nuevo cuño, pues no
en vano Schiller ha estudiado profundamente a Kant y sabe
y reconoce que el filósofo de Königsgberg «...fue el Dracón
de su época, porque consideró que no era aún digna de un
Solón ni estaba en disposición de acogerlo. Del sagrario de
la razón pura trajo la ley moral, extraña y sin embargo tan
conocida; la expuso en toda su santidad ante el siglo des-
honrado, y poco se preocupó de si hay ojos que no puedan
soportar su resplandor»[5].

Alguien que piensa de este modo puede perfectamente
calificar a la cultura griega de «meramente estética» y pensar que la cultura moderna tiene unas exigencias éticas
mayores que la antigua. No vale ni sólo lo *naiv* ni sólo lo
sentimentalisch; sólo la síntesis y la unidad de ambos, tal es
el deseo y el anhelo más íntimo de Schiller, puede alumbrar una «humanidad bella». Grecia interviene aquí en
una extraña situación a medias entre progenitor y partera.
Lo que sí está claro es que el resultado no será Grecia, sino
otra cosa mucho más «moderna» y mucho más «kantiana»,
y eso porque, bien mirado, Schiller realmente no tiene
sentido para lo *naiv:* es demasiado moderno y está excesivamente impregnado por el primado (moderno) de la subjetividad.

[5] *Sobre la gracia y la dignidad,* Barcelona, Icaria, 1982, p. 43.

Goethe, y muy especialmente Hölderlin (como se verá más adelante) sí captaron la unidad entre lo divino y lo demoniaco, en la que lo uno se manifiesta en y a través de lo otro, dando así lugar a una totalidad orgánica. Pero Schiller (insisto: muy modernamente) transformó esa unidad escindida, el *hen diaferon heauto* heracliteano que tanta importancia tendrá en la poesía y en el pensamiento de Hölderlin, en un dualismo entre lo real y lo ideal, entre el ideal (nouménico) de la libertad como constituyente esencial del ser humano y la realidad (fenoménica) de un mundo en el que los egoísmos y prejuicios se oponen a la consecución de ese ideal. Lo viviente orgánico se transmuta en un esquematismo donde la ingenua fe en la presencia inmediata de la divinidad en la naturaleza y en la historia se ve sustituida por las situaciones en las que se ven envueltos unos personajes que, en realidad, encarnan conceptos. Schiller mismo lo reconoce cuando en carta a Goethe del 31 de agosto de 1794 afirma que él «sólo tiene que gobernar sobre una familia algo numerosa de conceptos, que cordialmente querría ampliar hasta formar un pequeño mundo»[6]. Dicho de otra forma: estamos mucho más cerca de Eurípides que de Sófocles; la tragedia no es, como dirá Hölderlin, «acontecer divino» *(Gottgeschehen),* sino escenario donde se desarrolla una lucha de conceptos muy alejada de esa «verdadera simplicidad» griega y goethiana a la que aspiró, en alguna momento de su vida, el mismo Schiller. En carta del 20 de agosto de 1788 confiesa a Körner: «Apenas si leo otra cosa que a Homero (...). En los próximos dos años me he propuesto no leer ningún escritor moderno más (...). Ninguno me hace bien; todos me alejan de mi mismo y sólo los antiguos me proporcionan ahora un verdadero disfrute. Al mismo tiempo, los necesito en alto grado para pu-

[6] *Schillers Werke. Nationalausgabe,* vol. 27 (ed. de G. Schulz), Weimar, 1958.

rificar mi propio gusto, que debido a la sutileza, la artificiosidad y la agudeza empieza a alejarse mucho de la verdadera simplicidad»[7].

La sensibilidad romántica, sin embargo, no se contentó con Homero, los trágicos o esos torsos de Hércules esculpidos por los grandes maestros griegos; no fue «pagana»: *Christenheit oder Europa* (por decirlo con Novalis), pues fue el cristianismo, no la Grecia clásica, el que introdujo el principio del amor. Desde esta perspectiva, la Grecia clásica no es un momento máximo, de esplendor y saturación de belleza y espíritu heroico, sino una circunstancia histórica concreta que prepara o anuncia (y en el mejor de las casos anticipa) el cristianismo y su mensaje de amor y salvación. Y en tanto que (mero) momento histórico con sus luces y sombras: Grecia no es sólo la claridad apolínea, sino también las tinieblas órficas. *apolíneo / dionisíaco .*

Es cierto que Goethe no era un ingenuo y que confesaba a su círculo de amigos más íntimo que los griegos habían sido grandes amantes de la libertad, sí, pero de la de cada uno de ellos en particular, y que en su pecho anidaba un tirano en espera de la ocasión propicia para salir a la luz. Sin embargo, nunca habría sido capaz de la descarnada lucidez histórica de, por ejemplo, un Arndt, que en su *Geist der Zeit* de 1806 (esto es, sólo un año después de esa inflamada exaltación de la Grecia clásica que es el artículo de Goethe sobre Winckelmann), escribe: «Para que un pequeño grupo de ciudadanos pudiera vivir sin trabajo opresivo y sin necesidad, para que pudieran educarse en las armas, en las artes liberales y en ejercicios de todo tipo, en la elocuencia y en la demagogia, para que tal feliz pereza produjera bellos cuerpos y espíritus, para ello la gran masa de los hombres estaba sumida en la más profunda ignomi-

[7] *Schillers Werke. Nationalausgabe*, vol. 25 (ed. de E. Hanfe), Weimar, 1979.

nia». Pues la Grecia clásica también es un paisaje lleno de injusticias y horrores que deben ser redimidos por el mensaje de salvación del cristianismo. No sólo desde un punto de vista social, sino también personal: es el tema de la muerte, tan grato para los románticos. A este respecto es Cristo, vencedor con su resurrección de la tinieblas, el que trae el consuelo, no los dioses paganos. Novalis lo expresa con toda claridad en el quinto de sus bellísimos *Himnos a la Noche:*

> Aquí ni los mismos dioses saben dar consejo
> que colme de consuelo el pecho afligido[8].

Dados estos planteamientos también era natural que de la Grecia clásica ya no interesara tanto el arte cuanto la religión. Moritz en su *Götterlehre,* o el mismo Goethe, habían visto los mitos como productos de la fantasía creadora de los griegos, obras de arte nacidas de su magnífico ingenio. Para los románticos (pienso, por ejemplo, en Solger o Creuzer, también en el último Schelling con su concepción «tautegórica» del mito), los mitos no son expresiones de una cosmovisión estético-poética, sino manifestaciones de una necesidad de índole estrictamente religiosa. De suerte que de tener en cuenta el valor estético de la religión se pasa a intentar poner de manifiesto el sentido profundamente religioso del arte griego. Pero para consumar este giro no es suficiente con retrotraerse a Grecia, sino que hay que abismarse (como en alguna medida y en algún sentido hizo Hölderlin) en la lejana y misteriosa Asia. Con lo cual se apuntala la historificación de Grecia como momento entre el lejano Oriente y el cristianismo, y su punto culminante de reconciliación de vida y muerte, de

---

[8] Hier wubten selbst die Götter keinen Rat,
Der die beklomme Brust mit Trust erfüllte.

noche y día, en esa incomprensible situación para un griego que Novalis, poéticamente, llamaba «el misterio del Gólgota».

16.

* * *

Todos los estudiosos de la obra de Hölderlin están de acuerdo en que aunque comparta temas y puntos de vista de unos y otros no cabe situarlo ni entre los representantes del clasicismo ni entre los románticos: se trata de un hombre que es capaz de ver y sentir en sentido estricto la Grecia clásica y, a la vez, albergar profundos sentimientos cristianos. Extraña (y mal saldada) síntesis de elementos greco-paganos y escatología cristiana. En sus primeros himnos, a la diosa armonía, a la libertad, a la amistad, al amor, al genio de la juventud, resuenan indudablemente los ecos de una Grecia pasada por el tamiz intelectual y la técnica poética de Schiller; en los últimos, griegos por pindáricos, lo que salta a primer plano es San Juan, es la reconciliación final asociada a la segunda venida de Cristo. En 1793 Hölderlin canta a Grecia del siguiente modo:

> Ática, la gigante, ha caído.
> Donde descansaban los antiguos hijos de los dioses
> llora una solitaria grulla
> en las ruinas de los palacios de mármol.
> Sonriendo desciende la dulce primavera,
> pero no encontrará nunca más a sus hermanos
> en el valle santo del Iliso:
> yacen bajo escombros y espinas.
>
> El deseo me impulsa hacia aquel país mejor,
> hacia Alceo y Anacreonte,
> y quisiera dormir en la estrecha morada
> junto a los santos de Maratón
> ¡Que ésta sea la última de mis lágrimas
> vertidas por la querida Grecia!

Haced sonar, Parcas, vuestras tijeras,
pues mi corazón pertenece a los muertos[9].

¿Qué tiene que ver este poeta que mira a Grecia con ojos nostálgicos y conciencia de pérdida con el ser atormentado que declara la hermandad de Cristo, Hércules y Dioniso? Es cierto que para Hölderlin, como para los románticos, Grecia representa un motivo elegíaco, pero no porque uno y otros creyeran que Grecia es una especie de paraíso perdido al que urgiría regresar si fuera posible. Sucede más bien, como ha señalado Paul de Man[10], que el mundo antiguo actúa como una especie de modulación del tema de la contingencia y la finitud, no como descripción de un estado de cosas objetivo. La afirmación de de Man es acertada, sobre todo si se tiene en cuenta que puede leerse en el contexto de un comentario crítico a las páginas dedicadas al neohelenismo romántico del libro de Ernst Heller *The Artist's Journey into the Interior and Other Essays*[11], donde se defien-

---

[9] Attika, die Riesin, ist gefallen
Wo die alten Göttersöhne ruhn,
Im Ruin gestürzter Marmorhallen
Brütet ew'ge Todesstille nun;
Lächelnd steigt der sübe Frühling nieder,
Doch er findet seine Brüder nie
In Ilissus's heil'gen Tale wieder,
Ewig deckt die bange Wüste sie.

Mich verlangt ins bebre Land hinüber
Nach Alcäus und Anakreon,
Und ich schlief' im engen Hause lieber,
Bei den Heiligen in Marathon!
Ach, es sei die letzte meiner Tränen
Die dem heil'gen Griechenlande rann,
Labt, o Parzen, labt die Schere tönen!
Denn mein Herz gehört den Toten an.
(«Griechenland», 1ª versión, vv. 41-56)

[10] «La literatura del nihilismo» (1966), en *Escritos críticos*, Madrid, Visor, 1996, p. 255.

[11] New York, Random House, 1965.

de la tesis, con la que de Man muestra su total desacuerdo, de que «la actitud romántica hacia Grecia es una envidia nostálgica, como la del hombre caído hacia el perdido Jardín del Edén». Lo que ya no está tan claro es que la posición de Hölderlin hacia Grecia sea exactamente ésta, y no me refiero a la de Heller (algo, por otro lado, del todo obvio), sino a la de Paul de Man.

Es muy probable que Hölderlin, ferviente admirador del *Ardinghello* de Heinse, conociera Grecia, al igual que éste, por el *Voyage pittoresque de la Grèce* del conde Choiseul-Gouffier; conoce Grecia indirectamente, por las descripciones más o menos idealizadas de los viajeros que estuvieron allí; y, sin embargo,

> ¿Qué es aquéllo que
> a las antiguas y sagradas costas
> me encadena, que me hace amarlas más
> que a mi propia patria?[12].

Proximidad y lejanía: la relación de Hölderlin con Grecia es la misma que tenía con la lengua griega. Lo que Norbert von Hellingrath escribe a propósito de las traducciones de Hölderlin de Píndaro podría muy bien elevarse al plano más general de la relación entre el poeta y su amada Grecia: «...una extraña mezcla de familiaridad con la lengua griega y una vivaz aprehensión de su belleza y su carácter junto con el desconocimiento de sus reglas más sencillas y una carencia absoluta de exactitud gramatical (...). No es sencillo dar con alguien para el que una lengua muerta fuera tan familiar y tan viva; no es sencillo dar con alguien (...) para el que fuera tan ajena la gramática griega y todo aparato filo-

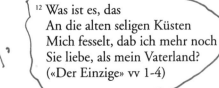

[12] Was ist es, das
An die alten seligen Küsten
Mich fesselt, dab ich mehr noch
Sie liebe, als mein Vaterland?
(«Der Einzige» vv 1-4)

lógico»[13]. Porque Hölderlin ama a Grecia y, a la vez, no le interesa en sí misma, sino en función de otras cosas.

Es verdad que, en cierto sentido, para Hölderlin Grecia también representa la mutabilidad y la contingencia, pero sucede que para él el mundo helénico en modo alguno es un «tema»; así se desprende de su comprensión de Grecia (y vuelvo a citar otro ensayo, algo más temprano, del mismo Paul de Man) «como un mundo en el que el lenguaje puede alcanzar de forma inmediata el objeto sensible, mientras que en el mundo occidental el lenguaje sólo se aprehende a sí mismo como espíritu, es decir, en tanto que distinción y mediación»[14]. Lo que quiere decir de Man con esta correcta, aunque unilateral, explicación de la contraposición entre el mundo helénico y el occidental o hespérico, como gustaba decir Hölderlin, es algo que tendrá que ser aclarado y discutido más adelante. De momento me limitaré a hacer un par de aclaraciones preliminares que tendrán que ir mostrando su pertinencia en las páginas siguientes.

En primer lugar: que un tema es un objeto sobre el que se escribe o reflexiona (en el mejor de los casos las dos cosas), y Hölderlin no escribe y reflexiona sobre Grecia como, por ejemplo, lo hacen el joven F. Schlegel o Winckelman. Grecia no es el objeto de la poesía y las reflexiones teóricas de Hölderlin, sino la verdadera y real contrapartida, en un sentido performativo, de aquélla y éstas. En un primer momento, que se corresponde a las primeras versiones del *Hiperión* (el llamado *Fragmento de Talia*) y a los himnos de Tübingen, Hölderlin canta a los dioses, cierto, pero como ya lo habían hecho, por ejemplo, Klopstock o Schiller. Los dioses todavía no son una presencia sentida, sino sólo un objeto pensado, algo perdido y cuya ausencia se canta. Dis-

---

[13] *Pindarübertragungen von Hölderlin. Prolegomena zu einer Erstausgabe*, Jena, 1911, p.16.

[14] «El devenir y la poesía» (1956), en Ibidem, p. 158.

tinto es lo que sucede en las grandes elegías *(Lamentos de Menón por Diótima, Pan y Vino, El Archipiélago...):* los dioses siguen siendo los grandes y terribles dispensadores del destino, como ya sucedía en algunos poemas anteriores. Pero ahora Hölderlin no se limita a saber de las fuerzas (amigas y enemigas) que le rodean, sino que comienza a sentirlas como algo real. No es ya un camino *hacia* los dioses, sino un caminar *con* ellos[15], justamente porque Hölderlin siente y sabe ahora –ahora que ha abandonado y superado las falsas dicotomías con las que piensa la filosofía, por ejemplo, la distinción entre sentir y saber– que la divinidad habita en el hombre: lo sabe poéticamente y este saber es indiscernible de lo que siente. Por esto Hölderlin alumbra en sus últimos poemas (como ya hiciera Píndaro) nuevos mitos, que no expresan una realidad inexpresable filosóficamente, sino que la crean: si en los primeros poemas la palabra poética dice a los dioses, en estos últimos es medio a través del cual acontece la presencia de la divinidad. Los dioses regresan «en verdad» porque regresan poéticamente y la poesía es verdad: palabra inmediatamente performativa. Poesía en el sentido griego de la palabra, *poiesis: «Poiesis* así concebida, no ha de considerarse como la abstracción de un resultado determinado, sino como el proceso, el desarrollo temporal de una acción que ha de culminar en un objeto (...). No presupone, pues, la existencia de su objeto, ni puede entenderse como la abstracción fija de él; su abstracción es la "todavía no realización" del objeto a que se tiende, y su existencia es tan concreta como la de su resultado»[16]. En este sentido *poiético* cree Hölderlin en Grecia y en sus dio-

---

[15] Cfr. W. Schadewaldt, «Hölderlins Weg zu den Göttern», en *Hellas und Hesperien. Gesammelte Schriften zur Antike und zyr neuren Literatur,* Zürich, Artemis Verlag, 1960, p. 663.

[16] E. Lledó, *El concepto «poiesis» en la filosofía griega,* Madrid, CSIC, 1961, p. 41.

ses: en Dioniso y Hércules, pero también en Cristo, el último de los dioses antiguos.

Por esto, y en segundo lugar, finitud y contingencia son categorías que hay que entender, en el caso de Hölderlin, dentro de un extraño y desmesurado optimismo que le lleva a suponer que en todo ser humano habita la divinidad. La explicación del sentido de esta afirmación debe quedar, de nuevo, aplazada para cuando se hayan reunido los suficientes hilos con los que poder entretejer éste. Sobre todo si se tiene en cuenta que este optimismo acabará desapareciendo. Sólo insistir una vez más en que la actitud de Hölderlin ante la Grecia clásica no es ni la de Winckelman, Goethe o Schiller ni tampoco la de los románticos, como justamente se ve en su concepción de la tragedia. Y, por fin, esta es una cuestión que no queda aplazada, sino en la que me introduzco de inmediato.

II

Sobre la tragedia

Hölderlin entiende que la tragedia, si es verdadera y auténtica y no mera copia o imitación (es decir, si su contenido de verdad se trasmuta en construcción formal), se construye mediante reglas seguras e inequívocas, a las que se refiere con las expresiones «ley calculable» *(kalkulables Gesetz)* o «cálculo legal» *(gesetzliche Kalkul)*[1]. Este cálculo determina que lo fundamental en la construcción de la tragedia no sea la sucesión de los acontecimientos, sino su equilibrio. En el fondo (y en la forma...) se trata de una cuestión rítmica, que al igual que afecta al verso atañe asimismo al todo de la construcción trágica: tan necesaria es la interrupción contrarrítmica en la medida de las sílabas como en la globalidad del desarrollo de la acción dramática; así como se calcula el número de éstas y su duración y se introduce una cesura que rompe el verso y a la vez lo dota de equilibrio, también hay un «cálculo legal» de esa totalidad de versos que configuran, a su vez, la totalidad de las acciones dramáticas que narra la tragedia.

De acuerdo con Hölderlin, la tragedia (más exactamente, su movimiento) es una lucha constante entre elementos del mismo peso, pero de tal suerte que en un momento dado tiene que mostrarse en ese movimiento lo esencial y el senti-

---

[1] «Notas sobre Edipo», p. 134 (St.A., 5, 195).

do último de la acción dramática, según una lógica poética que determina la dinámica de ritmo y contrarritmo de las «diversas sucesiones» en las que se desarrollan «representación y sensación y razonamiento»[2]. En la tragedia (en tanto que máxima forma de expresión poética) estas tres capacidades del alma humana deben expresar una unidad armónica de elementos opuestos en la que sale a la luz la belleza y, como dice Hölderlin, se hace palpable *(fühlbar)* el todo de cielo y tierra. Este momento se corresponde con el de la cesura, como punto de inflexión en la dinámica de «progreso» y «regreso» donde la tensión entre forma y contenido se supera en la presencia de una esfera más elevada y portadora de equilibrio. Por esto en la cesura se muestra lo esencial y el sentido último de la acción dramática que, insisto, no se pone de manifiesto en la sucesión de los acontecimientos, sino en su equilibrio. En la poesía de los antiguos –señala Hölderlin en las «Notas sobre Edipo»– hay una *mechané*, un «cálculo legal», que sirve de medio de aparición al contenido. Hölderlin se refiere al contenido con la expresión «sentido viviente» y señala «que no puede ser calculado». El problema, por tanto, es el de la relación entre «lo que no puede ser calculado» y la «ley calculable». Se trata, en última instancia, del problema estructural de la configuración de una lógica poética[3].

[2] Idem p. 135 (St.A., 5, 196).

[3] Todo ello se refleja en la misma técnica de escritura de Hölderlin, que no es lineal, desde el primer al último verso. Hay, en efecto, una serie de giros característicos de su poesía *(«Wenn aber... Ihr fühlet aber... Nicht möcht ich aber... Sonst nemlich... Darum... Dennoch... Jedoch... Indessen... Noch aber...»)* que ponen de manifiesto que lo primero que construye son los puntos de una estructura en los que se modifica el curso del pensamiento y tiene lugar un «cambio de los tonos»; a continuación, y de forma progresiva, se van rellenando lo huecos vacios (Cfr. D. Uffhausen, «Bevestigter Gesang. Hölderlins hymnische Spätdichtung in neuer Gestalt», en U. Beyer (ed.), *Neue Wege zu Hölderlin*, Könighausen & Neumann, Würzburg, 1994, p. 333).

En la *Antígona* y el *Edipo* el momento de la cesura viene dado por el discurso de Tiresias. Si en la primera tragedia este discurso aparece en el comienzo de la obra y en la segunda hacia el final, se debe a que están construidas de diferente modo; ambas tienen dos partes, divididas por la cesura, pero mientras que la primera parte del *Edipo* muestra una menor «rapidez del entusiasmo» *(Rapidität der Begeisterung)* que la segunda, en la *Antígona* sucede exactamente lo contrario. En uno y otro caso lo fundamental es el equilibrio, que se consigue colocando la cesura en uno u otro lugar, al igual que sucede con las romanas, que no se equilibran situando el contrapeso en la mitad geométrica del brazo, sino justo en el punto debido. El problema, pues, no es otro que el de encontrar este punto debido, y es obvio que ahora no me refiero al ejemplo, sino a lo ejemplificado. El discurso de Tiresias es punto debido, por un lado, porque a modo de interrupción contrarrítmica divide a la *Antígona* y al *Edipo* en dos partes cuya «rapidez excéntrica» o «rapidez del entusiasmo» (por decirlo con las mismas expresiones de Hölderlin) están equilibradas. Pero, por otro lado, lo es también en el sentido de que dice lo que debe.

La *Antígona* se sitúa en el momento en el que han muerto los hijos de Edipo y los argivos se han retirado. Antígona, en contra de la prohibición de Creonte, decide dar sepultura al cadáver de Polinices, cuya mala conducta —según recuerda el Coro— ha estado a punto de llevar a Tebas a la perdición. Creonte se entera de la acción de Antígona e, irritado, la condena a muerte, a pesar de la intercesión de Hemón, hijo de Creonte y prometido de Antígona. El Coro, en diferentes intervenciones, se compadece e intenta consolar a Antígona, pero también le recuerda que ningún mortal puede hacer frente a su destino. Es entonces cuando hace su aparición Tiresias, que comunica las señales de la cólera divina. Creonte cree que el adivino forma parte de un complot contra él, pero ante sus terribles vaticinios retrocede lleno de temor y decide dar sepultura a Polinices y liberar a Antígona. Pero demasiado tarde: Antígona muere y Hemón y Euridice se suicidan. El primero, como reproche a su padre por el asesinato de Antígona; la segunda, abatida por la doble desgracia de la muerte de Hemón, su hijo, y de las acciones de Creonte, su marido. Total y absoluta desolación de Creonte.

La trama dramática del *Edipo* también es conocida. Estamos en una Tebas azotada por la peste. Creonte, que ha acudido a Delfos en busca de solución para los males de la ciudad, señala que el oráculo ha dictaminado que la epidemia sólo cesará si es desterrado el asesino de Layo. Edipo, ignorante de su origen, se muestra dispuesto a cumplir el oráculo y maldice públicamente al asesino de Layo. En este momento es cuando se encuentra el discurso de Tiresias, que tras mucha insistencia se decide a hablar: acusa a Edipo de ser él mismo el asesino que busca y le vaticina cosas horribles. Edipo no lo cree y parece que hace bien, pues se suceden las buenas noticias. Se presenta un mensajero de Corinto que anuncia la muerte de Polibo y, en consecuencia, la subida de Edipo al trono de dicha ciudad, señal (aparente) de que no se han de cumplir los terribles vaticinios de Tiresias. Más aún, el mensajero, para tranquilizar a Edipo acerca de su origen, cuenta que él mismo lo recibió de un pastor tebano, con los tobillos atravesados, en el monte Citerón. Yocasta reconoce de súbito la verdad, no quiere que el mensajero continúe; pero Edipo insiste. El mensajero corintio y el Coro reconocen al pastor tebano, quien finalmente acaba diciendo toda la verdad. Yocasta se suicida y Edipo, tras arrancarse los ojos, parte al destierro, tras hacer prometer a Creonte que cuidará de su hijas.

En ambas tragedias el discurso de Tiresias anticipa lo que va a suceder y, en este sentido, dice verdad, porque lo que vaticina sucede. Verdad ahora en sentido aristotélico: es verdad decir de lo que es que es y de lo que no es que no es y es falso decir de lo que es que no es y de lo que no es que es. Pero en lo dicho por Tiresias hay una dimensión trágica, la del «ser-uno» *(Einsein)* y «ser-escindido» *(Geschiedensein)* entre lo humano y lo divino, pues para Hölderlin (a diferencia de la concepción humanitario-filantrópica de Lessing o del «gran teatro del mundo» de Schiller) la tragedia es, en sentido estricto y no figurado, acontecimiento divino. En carta a Schütz del Invierno de 1799/1800 puede leerse: «...porque al arte poético, que en todo su ser, en su entusiasmo como en su mesura y sensatez, es un festivo servicio divino, nunca convierte a los hombres en dioses o a los dioses en hombres, nunca comete impura *idolatría,* sino que sólo se le permite acercar mutuamente a dioses y hombres. La tragedia muestra esto mismo *per contrarium.* Dios y hombre parecen una sola cosa y en consecuencia hay un destino que provoca toda la humildad y todo el orgullo del hombre y al final sólo deja como propiedad del hombre, por una parte, la veneración de lo celestial y, por otra, un espíritu purificado»[4]. Ahora bien, el acontecer divino es para Hölderlin acontecer del curso de la naturaleza, cuya esencia es pensada, con Heráclito (B 50), como «Todo y Uno» *(hen kaì pan),* que en tanto que acontecer tiene una dimensión quiliástico-temporal: origen y estado originario de una humanidad con la naturaleza y no consciente de esta protounidad; unidad ahora perdida, pero que actúa a la vez como una especie de fin de la historia. Este acontecer de la naturaleza y ese acontecer de la divinidad se consuma en un proceso dialéctico como un escindirse y separarse de extremos, a modo –señala Wolfgang Schadewaldt[5]– de *coincidentia oppositorum.* Pues bien, para Hölderlin la tragedia *es* este proceso (y subrayo que digo *es* y no, por ejemplo, representa o simboliza): es dialéctica entre los extremos de lo orgánico y lo aórgico.

[4] St.A., 6,1, 381-382 (n.º 203).
[5] «Hölderlins Übersetzung des Sophokles», en *op. cit,* p. 780.

En el ensayo «Fundamento para el Empédocles» Hölderlin alude a la interpenetración de dos poderes a los que primero denomina «naturaleza» y «arte» y luego «naturaleza» y «hombre»: de un lado, el elemento consciente «arte-hombre» y, frente a él, el elemento inconsciente «naturaleza». Hölderlin caracteriza al ser humano como orgánico y a la naturaleza como aórgica. De suerte que lo que se expresa en la tragedia es la dialéctica (en sentido estricto) entre lo orgánico y lo aórgico. Si la naturaleza persevera en su espléndido aislamiento aórgico, entonces –advierte Hölderlin– sólo es accesible para el sentimiento, pero no para el conocimiento. Su cognoscibilidad exige su «des-aorgización», su aproximación al extremo orgánico en el que originariamente se encuentra el ser humano, el cual, por su parte, responde con el movimiento recíproco contrapuesto. Hay, por tanto, un movimiento de aproximación, de reencuentro entre lo orgánico y lo aórgico, de máxima intimidad entre hombre y Naturaleza, de intimidad sin necesidad de mediaciones, pues no es que el ser humano se encuentre y reconcilie con lo otro, es que, por así decirlo, no hay otro, sino pura mismidad. Sin embargo –y ésta es una de las claves de la concepción hölderliniana de la tragedia– una vez puesto en marcha este proceso dialéctico, el movimiento ya no puede detenerse: tras este momento de unidad, ser humano y naturaleza, «se hacen frente como al comienzo, salvo que la naturaleza se ha hecho más orgánica por medio del hombre, el cual cultiva y forma, y de los impulsos y fuerzas de formación en general, y el hombre, por el contrario, se ha hecho más aórgico, más universal, más infinito»[6]. Es, ciertamente, un momento de plenitud, pues esta situación de intercambio de los papeles originarios hace que el ser humano recuerde «la anterior pura relación inversa, y él siente a sí mismo y a la naturaleza doblemente, y la ligazón es más infinita»[7].

[6] «Fundamento para...», p. 107 (St.A. 4,1, 153).
[7] *Ibidem.*

34

Pero como siempre suele suceder y la Tragedia gusta recordar, por todo hay que pagar un precio: el ser humano que goza de tal plenitud, ilimitado e infinito, olvidado de su organicidad, aórgico y por eso ligado a la antigua aorgicidad que la naturaleza era pero ya no es, este ser humano «depone su yoidad, su particular ser-ahí, que se había convertido en extremo»[8]. La naturaleza responde con el movimiento recíproco contrapuesto: «lo aórgico [depone] su universalidad, pero no, como al comienzo, en mezcla ideal, sino en la más alta lucha real»[9]. Paradójicamente, el momento de máxima plenitud es también (y justamente por ser tal momento) el de máxima hostilidad... y de una aparente posibilidad de reconciliación: lo orgánico que se ha hecho aórgico se encontraría de nuevo a sí mismo y retornaría a sí mismo. Mas es vana la ilusión, pues la reconciliación posible es fruto del conflicto, no en el sentido de que éste desemboque en reconciliación, sino en el de que ésta es sólo momento suyo, de manera que sobre ella, sobre la ilusión de reconciliación, vuelven a actuar, cada una a su manera, las fuerzas de lo orgánico y lo aórgico. Sólo la muerte del individuo particular pondría fin a este proceso, en verdad, trágico; sólo un cadáver recobra la plenitud aórgica y vuelve a ser, olvidada toda organicidad, pura naturaleza.

El omniabarcador esfuerzo aórgico del hombre hacia la unidad adopta en el *Edipo* –explica Hölderlin en sus «Notas»– la forma de una búsqueda loca y salvaje de la conciencia[10]. El núcleo general de la tragedia, lo que hace que, de acuerdo con Hölderlin, una tragedia sea tragedia, ese esfuerzo aórgico hacia la unidad que acabo de mencionar, se concreta y acontece en el *Edipo* como búsqueda de la verdad, pues es en un deseo de saber que no conoce límites

---

[8] *Ibidem.*
[9] *Ibidem.*
[10] «Notas al Edipo», p. 138 (St.A., 5, 199).

donde Edipo busca hacerse uno con la divinidad, y es este mismo deseo el que desencadena los acontecimientos trágicos y el que, en consecuencia, pone de manifiesto la dimensión trágica del «ser-uno»/«ser-escindido» entre lo humano y lo divino.

Y más si se tiene en cuenta que la tragedia no atañe sólo al destino del héroe individual, Edipo, Antígona o Creonte, sino que tiene una dimensión cósmica: Hölderlin entiende la tragedia como «movimiento del mundo» *(Weltbewegung)*[11]. Tal es el tema del ensayo «El devenir en el perecer», donde como núcleo de tragedia aparece un proceso histórico que Hölderlin denomina «ocaso o tránsito de la patria» y que es caracterizado como disolución de un mundo antiguo y, al mismo tiempo, construcción *(Bildung)* de otro nuevo. Pero hay dos formas de disolución, real e ideal. En la disolución de la realidad efectiva el dolor es demasiado intenso y cercano y, en esta medida, aparece como algo incomprensible e inefable: un temor que se sufre y se contempla, pero que justamente por su misma intensidad dolorosa no puede ser dicho. Sucede como en la explicación aristotélica de la tragedia[12]: es necesario que la palabra trágica purifique a un alma excesivamente perturbada por la desdicha, aunque con una importante diferencia: mientras que a Aristóteles le interesa el efecto catárquico de la tragedia sobre el espectador, lo que está en juego en los planteamientos de Hölderlin no son los estados de ánimo de ese espectador, sino el proceso objetivo de purificación que acontece en el mismo hecho trágico. Es este proceso objetivo el que tiene que ser dicho como disolución ideal, pues «esta disolución ideal no encierra temor»[13]. Por esto, todo lenguaje genuinamente trágico

[11] Cfr. M.Corssen, «Die Tragödie als Begegnung zwischen Gott und Mensch. Hölderlins Sophokles-Deutung», en *Hölderlin Jahrbuch*, 1948-1949, pp. 143 y ss.

[12] Cfr. *Poética*, 1149b.

[13] «El devenir en el perecer», p. 99 (St.A., 4,1, 283).

permite «vivificar no lo que ha llegado a ser incomprensible, infeliz, sino lo incomprensible, lo infeliz de la disolución [real] misma y de la lucha misma de la muerte, mediante lo armónico, comprehensible, viviente»[14].

Sófocles –como Hölderlin cree de su época– vivió en uno de estos momentos de ruptura, de «vuelta de todos los modos de representaciones y formas» *(Umkehr aller Vorstellungsarten und Formen),* por decirlo con la expresión que utiliza Hölderlin en las «Notas a Antígona». Un momento en el que se hace patente «el mundo de todos los mundos», que es justo lo que aprehende la tragedia –trágicamente– como disolución ideal. De aquí lo inadecuado de una lectura exclusivamente política de la *Antígona*[15], pues una «vuelta de todos los modos de representaciones y formas» es una «vuelta» total y absoluta, en la que no puede estar implicada sólo una instancia humana: «Pues la vuelta patria es la vuelta de todos los modos de representaciones y formas»[16]. Es cierto que Antígona –como señala George Steiner[17]– «realiza la unión de la justicia absoluta y también de la justicia que se desarrolla históricamente y que no sólo supera el legalismo y la disposición estatuida, sino que es su inevitable antítesis. La letra de la ley (Creonte) es desafiada por el espíritu primigenio y el naciente futuro de la ley (Antígona)».

---

[14] *Ibidem.*

[15] Paul de Man, que por propia experiencia personal sabía muy bien de lo que estaba hablando, lo vió con toda claridad: «El regreso a lo nativo (que Hölderlin, utilizando un término que entonces todavía no era ambiguo, denominó "regreso nacional": *vaterländische Umkehr*) ese regreso, a pesar de lo que hayan podido pensar ciertos comentaristas que poco tienen de occidentales, dista muchísimo de ser un ideal de supremacía política» («El devenir y la poesía» (1956), en *Ensayos críticos,* p. 161).

[16] «Notas a Antígona», p. 150 (St.A., 5, 271).

[17] *Antígonas. Una poética una filosofía de la lectura,* Barcelona, Gedisa, 1996, p. 69.

Pero el precio, como dice el mismo Hölderlin, de mantener «la sagrada posibilidad viviente del espíritu» es la palabra blasfema[18].

Detengámonos por un momento en la interpretación que ofrece Hölderlin de la *Antígona*. Como ya he señalado pocas líneas más arriba, en las «Notas...» a su traducción de esta tragedia habla de una «vuelta patria» como «vuelta de todos los modos de representaciones y formas», y he señalado también lo inadecuado de una lectura sólo política de esta tragedia. La interpretación debe ser, más bien, teológico-política. Buena parte de la acción dramática de la *Antígona* viene dada por la actitud que los personajes principales adoptan frente a esta «vuelta»: o bien la aceptan y rechazan el mundo presente (Antígona) o bien la rechazan y aceptan el mundo presente (Creonte). Como se ve, se trata de la misma problemática, si bien radicalizada, que se expresa en «El devenir en el perecer»: disolución de un mundo antiguo y creación de otro nuevo. Pero la problemática no es, o no es sólo, política, pues por debajo del plano político vuelven a producirse las tensiones entre lo orgánico y lo aórgico a las que me refería en páginas anteriores (y que Hölderlin recuerda en sus «Notas al *Edipo*»).

Pero en la *Antígona* ya no se trata sólo de una búsqueda ideal de la verdad, pues hay en esta tragedia implicadas y enfrentadas dos personas, Antígona y Creonte, de suerte que aquí se oponen y se enfrentan dos comprensiones diferentes de la divinidad. Es cierto que ambos son personajes radicalmente religiosos, pero experimentan su «proximidad a lo divino» de forma antagónica: de un lado, la afirmación orgánica y formal (*«das Förmliche»*, *«das Allzuförmliche»*), según las leyes instituidas; de otro, la afirmación salvaje, informal y aórgica (*«das Gegenförmliche»*, *«das Unförmliche»*), al margen de las leyes de la *polis*, que en el sentido y la com-

---

[18] Cfr. «Notas a Antígona», p. 146 (St.A., 5, 267).

prensión de Creonte son leyes divinas. Antígona es, en sentido estricto, *antitheos,* alguien que «en el sentido de dios, se comporta como *contra* dios, y sin ley reconoce el espíritu de lo más alto»[19]; frente a ello, Creonte representa «el piadoso temor ante el destino y, con ello, la veneración de dios como de algo establecido»[20]. Comenta entonces Hölderlin: «Este es el espíritu de los dos términos que se contraponen uno a otro imparcialmente en el coro (...) contrapesándose entre sí en igualdad, y diversos sólo según el tiempo, de modo que lo uno pierde ante todo *porque comienza,* lo otro *gana porque sigue*»[21]. La dialéctica entre lo aórgico y lo orgánico se convierte de esta manera en disociación dialéctica, en aprehensión dialéctica de la divinidad por medio de lo otro de la divinidad, tanto en el caso de Creonte como en el de Antígona. No es que el primero esté en el error y la segunda en la verdad, ni a la inversa; es que ambos, por así decirlo, en perspectivas cruzadas, sólo pueden aprehender la divinidad en la medida en que, respectivamente, la niegan, es decir, se la niegan el uno a la otra y la otra al uno. La afirmación de lo orgánico sólo puede hacerse al precio de la negación (en sentido extremo: aniquilación) de lo aórgico y viceversa: lo aórgico exige la destrucción total de lo orgánico. De aquí la necesidad ineludible del desenlace trágico y de su expresión como tragedia.

Todo esto supone, sin lugar a dudas, una radicalización de los planteamientos expuestos en «El devenir en el perecer». En este texto Hölderlin utiliza la expresión «*Lücke*» (hueco, vacío...) para caracterizar la situación de tránsito

---

[19] Idem p. 148 (St.A., 5, 268-269). En este sentido, Antígona es como el Rousseau de «El Rin»: alguien «divinamente loco» y que «sin ley» habla «el lenguaje de los más puros», un lenguaje dionisiaco que se opone a la «sobriedad junónica» de Creonte.

[20] *Ibidem.*

[21] *Ibidem.*

que se produce entre la disolución del mundo antiguo y la construcción de otro nuevo, pero sin entrar en mayores precisiones. En las «Notas...» sí que entra en precisiones. En primer lugar, ya no habla de «hueco», sino de un «giro categórico del tiempo», y después de señalar que una vuelta tan sumamente radical supone «la vuelta de todos los modos de representaciones y formas» añade: «Una vuelta total en éstos, sin embargo, tal como vuelta total en general, sin sostén alguno, no está permitida al hombre como ser que conoce»[22], es decir, el momento decisivamente trágico que se produce entre lo que ya perece y lo que aún está por llegar resulta incognoscible racionalmente, sólo es expresable poéticamente como tragedia y en la tragedia. En segundo lugar y más importante, en «El devenir en el perecer» el ocaso de la patria es visto siempre desde la perspectiva del surgimiento de una nueva sociedad, en las «Notas...», por el contrario, la vuelta de todos los modos de representaciones y formas puede tener dos efectos: o bien *«eine neue Gestalt»*, o bien *«eine Wildnib»*[23], una nueva configuración política, pero también moral y religiosa (no hay que olvidar que nos encontramos ante una vuelta de *todos* los modos de representaciones y formas), o bien el desenfreno; caben, en efecto, estas dos posibilidades, y de ninguna de ellas hay certeza. Más adelante habrá que retomar estas cuestiones.

Bastante floja.
10—3—2003

Pero algunos granos.
07-08-2011

¡ Muchos granos!
23-10-2016.

[22] Notas a Antígona, p. 150 (St.A., 5, 271).
[23] *Ibidem.*

III

Empédocles

Podría pensarse que cuando Hölderlin emprendió la tarea de escribir su propia tragedia, tenía necesariamente que plegarse a todas estas consideraciones teóricas. Y así sucede, aunque sólo en parte, pues hay algunas interesantes y significativas diferencias entre el *Empédocles* y el contenido teórico de las «Notas a Sófocles»[1]. En la tragedia, al igual que en las «Notas...» hay un doble movimiento: de caída del héroe y de elevación hacia el Todo de la Naturaleza, representado por el fuego del Etna al que Empédocles finalmente se arroja. Y lo uno por lo otro, pues la inevitabilidad y necesidad de la muerte del individuo es condición de posibilidad de la reintegración en el Todo de la Naturaleza. Es el instante de la reconciliación, que se entiende ahora, en perfecta consonancia con lo expuesto en el «Fundamento para el Empédocles», sólo como momento de un proceso al que Hölderlin denomina «exceso de interioridad» *(Übermab der Innigkeit),* pues se trata de llegar al extremo de los polos antitéticos orgánico/aórgico, desde donde cabe elevarse a nuevos niveles de síntesis, justamente los ya alcanzados por Empédocles, en tanto que él ya ha recorrido todo este proceso.

[1] Cfr. J. Schmidt, «Tragödie und Tragödientheorie. Hölderlin Sophokles-Deutung», en *Hölderlin Jahrbuch*, 1994-1995, pp. 72-73.

En esta medida, la tarea de Empédocles es de reconciliación de los opuestos, gracias a que ha sido educado y guiado por un principio transcendente, la naturaleza, y puede entonces dirigirse al pueblo. Pero para ello tiene que abandonar la plenitud de la interioridad en la que vivía y abrirse a la exterioridad del movimiento de la historia, en un proceso necesariamente trágico, pues el héroe sabe que sus logros son sólo momento de un curso que sólo la muerte detendrá (como decía algo más arriba: sólo un cadáver recobra la plenitud aórgica y, olvidada toda organicidad, vuelve a ser pura naturaleza). Además, Empédocles no puede sustraerse de su destino, no puede ahorrarse ningún momento de este proceso que del autoconocimiento y penetración intelectual conduce a la muerte. Debe, pues, autoinmolarse; mas por mor del proceso que él ha recorrido es un deber visto como deseo positivo del destino y anhelo por asumirlo. Ciertamente un sacrificio, pero con un sentido históricamente productivo.

Hasta aquí no hay problemas, todo encaja perfectamente con lo expuesto en las «Notas a Sófocles». Sin embargo, hay en Hölderlin una tendencia (por otra parte, ya anunciada en algunas páginas del *Hiperión)* que va a convertir la composición de su tragedia en tarea conceptualmente imposible. En la novela, a pesar del tono desesperanzado de algunos pasajes y de las furibundas consideraciones críticas de otros, predomina un clima de irrealidad que, sin embargo, se quiebra en el *Empédocles*. Es cierto que a lo largo de su vida Hölderlin ya había chocado varias veces, dolorosamente, con lo que con razón suele calificarse como «pura y dura realidad»; recordar sólo sus constantes dificultades económicas, su traumatizante experiencia pedagógica en casa de los von Kalb o sus desafortunadas relaciones con Schiller. Pero había sido capaz de hacer suya la realidad como el lado de oscura locura que se opone a una naturaleza idealizada bajo la forma de las antiguas divinidades; la experiencia, incluida la de la misma naturaleza, se asume desde un punto de vista puramente estético[2]. Pero no es suficiente, como se muestra en el *Empédocles,* donde a lo largo de las diferentes versiones se asiste a una conceptualización cada vez más compleja de lo real, de la apertura a la exterioridad del movimiento de la historia, con resultados inabordables ya desde posiciones sólo estéticas.

En el «Plan de Frankfurt» lo que motiva el suicidio de Empédocles es la sensación de hastío frente a todo lo que le rodea, probable transposición del que sentía el mismo Hölderlin. En carta a su hermano Karl de agosto de 1797 escribe: «He hecho un plan detallado para una tragedia»[3]. También de finales del verano de 1797 es su oda «Empedocles», una época en la que las relaciones con los Gontard eran insostenibles debido a la naturaleza de los contactos no estipulados en su contrato como preceptor entre el poeta y la Sra. de la casa: la hostilidad del mundo frente a la belleza de la pasión amorosa. Todos contra Hölderlin, como le sucede a Empédocles, contra el que se amotina el pueblo, derriba su estatua y le expulsa de la ciudad. Es entonces, como puede leerse en el «Acto Cuarto» del «Plan de Frankfurt», cuando decide «unificarse con la naturaleza infinita mediante una muerte voluntaria». Pero el esbozo del «Acto Quinto» informa que éstos eran «motivos contingentes» *(zufälligen Veranlassungen)* que tienen que desaparecer para dejar paso a una «necesidadad que se sigue de su ser más íntimo». El problema trágico que necesita elaboración dramática es, por tanto, cómo pasar de los motivos contingentes a esa «necesidad». Dicho de otro modo, la problemática política es motivo contingentes, que no tiene peso suficiente por sí sola para desencadenar esa necesidad que empuja a Empé-

---

[2] Cfr. W. Hof, «Zur Frage einer späten "Wendung" oder "Umkehr" Hölderlins», en *Hölderlin Jahrbuch,* 1958-1950, p. 121.

[3] St.A., 6,1, 246 (n.º 142).

docles inexorablemente al suicidio. En estos momentos lo real que se opone al héroe aparece caracterizado de forma pobre, imprecisa y abstracta. Hölderlin, por ejemplo en el «Acto Cuarto», se limita a hablar de «los envidiosos».

Puede que lo real sea lo mismo para todos (algo molesto y desconcertante), pero no es pensable que lo sienta de igual modo la masa ebria que un hombre que «...Libre de necesidades, se mueve / en su propio mundo» (vv. 71-72), vive en el «éxtasis creador» y sólo de vez en cuando desciende y se mezcla con el pueblo. Así caracteriza Pantea a Empédocles en la «Escena Primera» del «Acto primero» de la «Primera versión». Los «envidiosos» ya tienen cara y se sabe también qué envidian y temen: el poder de Empédocles y que lo use para alcanzar poder político. Para evitarlo lo acusan de haberse proclamado dios ante todo el pueblo (v. 181) y levantan a la masa contra el héroe. Mientras tanto, éste –ajeno a tales maquinaciones– se lamenta de haber sido abandonado por los dioses:

> Aquél que vio más alto que ojo mortal alguno,
> cegado anda ahora a tientas...
> ¿Dónde estáis, dioses míos?[4]

Lo real ya es doble: la inquina política y la desazón de Empédocles, cuya causa desconocemos o quizá no comprendemos. ¿Quién, sino un elegido de dioses, puede saber lo que se siente cuando «el sagrado hechizo se retira del espíritu» (vv. 350-351)? ¿quién, sino alguien que ha vivido en consonancia con la «gran naturaleza», puede lamentarse por haber perdido el amor de los «genios del mundo» (v. 352)? Ni tan siquiera Pausanias, el discípulo más próximo de Empédocles, puede hacerlo; debe limitar-

---

[4] Der höheres, denn sterblich Auge, sah
Der Blindgesclagne tastet nun umher -
Wo seid ihr, meine Götter.
(vv. 299-301)

se a asentir. Y menos que nadie puede comprender Hermócrates, que en esta «Primera versión» es presentado como un malvado sin ningún tipo de sutileza ni complejidad, un ser sediento de poder que, sirviéndose de la volubilidad de las masas, sólo desea liquidar a Empédocles, que es desterrado y se retira al Etna. Se entra así en el «Acto segundo», donde Empédocles se reencuentra con la naturaleza al beber el agua fresca y pura de un manantial. Pausanias se percata de la transformación, pero sigue sin comprender:

> Te has transformado y tu mirada brilla
> como la de un vengador. No lo comprendo[5].

Y pocos versos más adelante, el mismo Empédocles:

> ¿Acaso no lo ves? Hoy
> regresa el tiempo hermoso de mi vida
> una vez más, y lo más grande me espera
> todavía...[6].

Pero no es la vuelta a los hombres, sino la ida a los dioses, o sea, la muerte:

> ...nada
> se concede gratuitamente a los mortales
> y sólo hay una cosa que ayude...[7].

---

[5] Du bist verwanndelt und dein Auge glänzt
Wie eines Siegenden. Ich fass' es nicht
    (vv. 1092-1093)
[6] Siehest du denn nicht? Es kehrt
Die schöne Zeit von meinem Leben heute
Noch einmal wieder und das Gröbre steht
Bevor...
    (vv. 1108-1111)
[7] Umsont wird nichts den Sterblichen gewährt
Und einiges hilft...
    (vv. 1167-1168)

Es entonces («Escena cuarta») cuando los agrigentinos vuelven a acudir a Empédocles y le suplican que vuelva con ellos y sea su rey; pero «ya no es éste tiempo de reyes» (v. 1325), sino de una intimidad máxima con la naturaleza, de la que saldrán nuevas relaciones sociales, y no de transformaciones políticas que sólo tocan lo inesencial. Por esto Empédocles rechaza los ruegos de los agrigentinos y les insta a olvidar todo lo heredado y aprendido («las leyes y los usos, los nombres de los antiguos dioses», v. 1413) y a alzar «los ojos a la divina naturaleza» (v. 1415), mientras él, por su parte, se encamina solemne y decidido a cumplir su destino:

> ...¿Es que en la muerte
> se me enciende, al fin, la vida? ¡Y me das
> el cáliz lleno de fermentos de horror,
> oh naturaleza, para que yo, tu cantor,
> beba de él aún el último entusiasmo!
> Lo acepto satisfecho...[8].

La «Segunda versión» es más compleja que la primera. Hermócrates ya no pretende perder al héroe acusándolo de robar el sentido al pueblo, jugar con las leyes de la patria y no honrar a los antiguos dioses de Agrigento, ni a sus sacerdotes (vv. 574-578, «Primera versión»), sino que, más sutilmente, le tacha de profanar lo divino, al revelar sus secretos a las masas. La conceptualización de lo real que se opone al héroe se hace ahora más sofisticada, pues si la acusación de la «Primera versión» era evidentemente falsa, la de la segunda podría

---

[8] ...Was? am Tod entzündet mir
Das Leben sich zuletzt und reichest du
Den Schrekensbecher, mir, den gährenden
Natur! damit dein Sänger noch aus ihm
Die lezte der Begeisterungen trinke!
Zufrieden bin ich...
     (vv. 1792-1797)

no serlo. Es cierto que Hermócrates aún piensa que Empédocles ambiciona la tiranía (v. 145), lo que es falso. Pero este motivo directamente político, fundamental en la trama de la «Primera versión», pasa ahora a segundo plano. Por eso Hermócrates aplaca los titubeos de Mecades con argumentos más complejos y de contenido sólo indirectamente político:

> más pernicioso que la espada y el fuego
> es el espíritu del hombre, semejante al de los dioses,
> cuando no sabe callar ni mantener
> sin desvelar su secreto
> (...)
> ¡Fuera el que pone al descubierto
> su alma y sus dioses! Temerario
> quiere expresar lo inexpresable
> y derrama y prodiga su peligroso bien
> como si fuera agua; y esto es
> peor que el crimen...[9].

¿Son, acaso, falsas estas palabras de Hermócrates?

Si lo real que se opone al héroe fuera sólo la mentira, con desenmascararla quedaría todo solucionado, como sucede en parte en la «Primera versión», dónde no se comprenden muy bien los motivos dramáticos que, tras el arrepentimiento de los agrigentinos al saber la verdad, llevan a Empédocles a per-

---

[9] Verdeblicher denn Schwerd und Feuer ist
Der Menschengeist, der götterähnliche,
Wenn er nicht schweigen kann, und sein Geheimnib
unaufgedekt bewahren.
(...)
Hinweg mit ihm, der seine Seele blos
Und ihre Götter giebt, verwegen
Aussprechen will Unauszusprechendes
Und sein gefährlich Gut, als wär es Wasser
Verschüttert und vergeudet, schlimmer ists
Wie Mord...
    (vv. 167-170; 174-179)

sistir en el cumplimiento de su destino; y ahora me refiero sólo a los motivos en la construcción de la trama dramática, pues los más profundos motivos intelectuales de Hölderlin sí están claros y explicados, por ejemplo, en las «Notas...» y en el «Fundamento...». Lo único que quiero señalar es que éstos no están bien servidos por aquéllos. Pero en la «Segunda versión» lo que pierde al héroe es verdad. La acusación de haberse proclamado un dios es sólo una fachada que Hermócrates presenta al ignorante pueblo, y que oculta el verdadero delito de Empédocles, que Hermócrates ha comprendido en toda su monstruosa naturaleza. Dicho de otra forma: Hölderlin se sigue identificando con Empédocles, pero sabe también con toda claridad que es, en efecto, «temerario querer expresar lo inexpresable». Y este saber no es fácil estetizarlo como el lado de oscura locura que se opone a los designios del héroe, simplemente –y esto es lo verdaderamente grave– porque Hermócrates tiene razón, y Hölderlin empieza a sospecharlo.

El mismo motivo, pero sin las connotaciones negativas que tiene la figura de Hermócrates, aparece en el diálogo entre Pantea y Delia que abre el «Acto segundo». Pantea comprende los actos de Empédocles, su anhelo de huir hacia sus dioses (v. 539), el carácter sagrado de su acción (v. 578), mientras que Delia objeta:

> ¿Acaso no es hermoso
> vivir entre los hombres?...[10].

o también:

> ¡Mira! También es espléndida
> y amable la tierra[11].

---

[10] Ists denn nicht schön,
  Bei Menschen wohnen...
    (vv. 549-550)
[11] Sieh! herrlich auch
  Und freundlich ist die Erde
    (vv. 564-565)

Delia tiene razón, pero sucede que la razón se opone al destino que Empédocles ha escogido para sí. Y Delia no es una ingenua cuyo inocente candor le impida comprender y aprobar los altos designios del héroe; todo lo contrario:

> Con demasiada complacencia, Empédocles,
> con demasiada complacencia te inmolas[12].

En estas palabras de Delia se anuncian ya las tensiones que dominan (y anulan) la «Tercera versión», donde lo que está en juego es la misma autocomprensión trágica del héroe: ¿cómo sabe Empédocles que es o que le está permitido ser la víctima sagrada? ¿qué le autoriza a la autoinmolación? Es curioso, pero en el diálogo entre Manes y Empédocles, este último ya no es la figura segura de sí misma y arrogante aun en su desconsuelo de las primeras versiones, sino alguien que duda y titubea, un niño (vv. 326-327), un ebrio (v. 347). Hay, señala Manes (vv. 362 y ss.), un nuevo y único salvador, que reconcilia humanos y dioses, y pregunta, dirigiéndose a Empédocles: «¿Eres tú ese hombre? ¿el mismo? ¿lo eres?» (v. 378). Respuesta de Empédocles: reconocer en Manes su «espíritu malvado», que lo provoca e incita a emprender con ira la senda sagrada (vv. 382 y ss.). Bien, la duda ya está sembrada y tuvo que ser terrible para Hölderlin, porque tras esta fatídica pregunta y unos versos en los que Empédocles reitera temas y motivos de las versiones anteriores, el resto de la tragedia apenas si está esbozada. Una vez puesta en cuestión la misma autocomprensión trágica del héroe, Hölderlin ya no sabe cómo continuar. Pero es significativo que Manes no desaparezca en las breves indicaciones que restan (como tendría que haberlo hecho si se tratara en exclusiva de la personificación de una duda que sólo

---

[12] Zu gern nur, Empedokles,
Zu gerne opferst du dich.
(vv. 656-657)

pasajeramente atenazara a Empédocles), sino que es presentado como la verdadera contrafigura de Empédocles. En una nota al sólo proyectado «Acto quinto» escribe Hölderlin: «Manes, el omniexperimentado, el visionario, sorprendido por las palabras de Empédocles y por su espíritu, dice que él es el llamado, el portador de la muerte y de la vida, en el cual y por el cual un mundo se disuelve y, al mismo tiempo, se renueva». Y por si fueran poco tales alambicados planteamientos, en el «Plan para la tercera versión» aparece el hermano de Empédocles, que, ante los desgarramientos de la época, ya no se plantea su superación en términos de unidad y totalidad (como exige el mismo planteamiento trágico), sino que intenta bandearlos en un equilibrio que no fuera nocivo, como si Creonte y Antígona decidieran cada uno ceder un poco e intentar llegar a un acuerdo beneficioso para todos. Imposible y ridículo, porque en tal caso no habría tragedia.

Ahora bien, alguien que se plantea estas posibilidades es alguien para el que la misma figura de Empédocles ha comenzado a ser problemática. ¿Y si el héroe se autoengañase? ¿Y si hubiera otras posibilidades que no fueran el deseo positivo del destino trágico y el anhelo de asumirlo? ¿Y si toda la conceptualización de la naturaleza que sustenta teóricamente al *Empédocles* estuviera equivocada?

Las cosas, pues, dejan de estar claras; pero, a la vez, Hölderlin no puede abandonar las tesis puestas en cuestión, pues son justamente las que vertebran conceptualmente su proyecto de tragedia. Porque en proyecto se quedó: modificar este punto fundamental habría significado escribir otra obra esencialmente diferente, algo para lo que, quizá, ya no se sentía con fuerzas suficientes por aquel entonces, pero que Sófocles sí había planteado con toda crudeza, pues es obvio que ni Edipo ni Antígona desean positivamente su destino, ni tampoco están poseídos por el anhelo de asumirlo. Puede que Empédocles esté contento, alegre e impaciente por reintegrarse al Todo de la Naturaleza; a Edipo y a Antígona, digámoslo así, no les hace absolutamente ninguna gracia.

¿Qué ha cambiado aquí? Una frase de las «Notas a Sófocles» puede dar una pista. En un momento dado, Hölderlin se refiere al «curso de la naturaleza eternamente hostil al hombre» *(ewig menschenfeindlichen Naturgang)*[13]; con razón, pues, ni Antígona ni Edipo ven en la muerte la feliz disolución en el Todo de la Naturaleza de una existencia limitada individualmente. Más bien son arrebatados por una naturaleza vista como algo ajeno, como inhóspito poder demoníaco. La naturaleza, en perfecta consonancia con el proceso de radicalización que lleva de «El devenir en el perecer» a las «Notas...», experimenta una completa transvaloración: de poder liberador a curso enemigo de los hombres, de compendio de vida y liberación a totalidad de muerte.

Es cierto que en el *Hiperión,* sobre todo en su parte final, hay ciertas ambigüedades en la concepción de la naturaleza que plantean serios conflictos con la perspectiva que domina el planteamiento general de la novela, de acuerdo con el cual la oposición tiende a resolverse, tras recorrer una vía excéntrica, en la armonía. Por ejemplo: después de la muerte de Diotima y del fracaso de la guerra de liberación frente a los turcos, Hiperión llega a pensar que la escisión también afecta a la naturaleza y que el dolor es un «confidente» *(Vertrauter)* de la naturaleza[14]. Pero nunca antes —ni tan siquiera en las líneas más desasosegadas del *Hiperión*— habría puesto en relación a su venerada naturaleza con la «esfera excéntrica de los muertos» *(exzentrischer Sphäre der Todten)*[15] o con el «salvaje mundo de los muertos» *(wilde Welt der Tod-*

---

[13] Cfr. St.A., 5, 269. Cfr. tb. J. Schmidt, «Trägodie und...», pp. 72-73.

[14] (St.A., 3, 150). Cfr. S. Büttner, «Natur - Eine Grundwort Hölderlins», en *Hölderlin Jahrbuch,* 1988/89, pp. 224 y ss.; tb. A. Bennholdt-Thomsen, «Dissonanzen in der späten Naturauffasung Hölderlins», en *Hölderlin Jahrbuch,* 1996/97, pp. 15 y ss.

[15] St.A., 5, 197.

ten)[16]. El ser humano, tanto en el «Fundamento para el Empédocles» como en las «Notas a Sófocles», es un ser limitado, y la naturaleza, también en ambos textos, es poder que elimina los límites; el pensamiento de Hölderlin no conoce aquí variación alguna, pero sí en lo que se refiere al significado de tal eliminación: como liberación y reconciliación o como caída en el salvaje y excéntrico mundo de los muertos. «Salvaje» porque salvaje es el tránsito de lo ordenado-limitado a lo caótico-ilimitado; «excéntrico» porque ahora la naturaleza (vista, insisto, como desgarrador poder demoníaco) actúa como fuerza descentradora de la individualidad centrada en sí y sólo subsistente en virtud de este centramiento.

En el «Fundamento...» y en las «Notas...» hay, desde luego, elementos comunes; por ejemplo, el emplazamiento histórico-religioso del conflicto trágico en el contexto de la relación de los héroes con su sociedad y con la esfera de la divinidad. Pero en las «Notas...» hay una mayor radicalidad, fruto de la experiencia que el poeta ha ido haciendo de la negatividad de lo existente (y de la que son testigo las diferentes versiones del *Empédocles)*[17]. Poco antes del cambio de siglo, Hölderlin traduce el comienzo del primer estásimo de la *Antígona* del siguiente modo[18]:

> Muchas cosas poderosas hay. Mas nada
> más poderoso que el hombre[19].

En la versión definitiva, sin embargo, propone:

> Mucho es lo terrible. Mas nada
> más terrible que el hombre[20].

---

[16] St.A., 5, 269.
[17] Cfr. H. Hühn, *Mnemosyne. Zeit und Erinnerung in Hölderlins Denken*, Stuttgart, Metzler, 1997, pp. 175-176.
[18] St.A., 5, 371.
[19] Vieles gewaltge giebts. Doch nichts
Ist gewaltiger, als der Mensch.
[20] Ungeheuer ist viel. Doch nichts
Ungeheuerer, als der Mensch.

Lo *deinón* pasa de «poderoso» a «terrible», de *gewaltig* a *ungeheuer*. Para el Hölderlin de las «Notas...» lo verdaderamente sustancial de la tragedia ya no es la reconciliación; lo trágico no es el deseo de muerte y de reintegración en la naturaleza, sino el deseo de vida en un contexto de muerte: justamente lo que se expresa en los vaticinios de Tiresias ¿Por qué, pues, dice Tiresias verdad? Porque en sus discursos se expresa el total y absoluto desconsuelo de la tragedia, porque no excusa el dolor con reintegros en el Todo de la Naturaleza, porque canta el fracaso de una imposible reconciliación, por su apenas soportable lucidez. Todo ello va tomando fuerza progresivamente en las sucesivas versiones del *Empédocles* y culmina en las traducciones de Sófocles y en las «Notas...» que las acompañan. En aquéllas de forma incipiente y tentativa, en éstas de manera totalmente clara Hölderlin llega a la conclusión de que en modo alguno está asegurada la bondad de lo venidero, esto es, que lo venidero puede ser también el desenfreno, no la reconciliación en el seno amigo de la naturaleza, sino el vacío y el caos de una naturaleza enemiga.

Algunos autores, por otra parte estudiosos muy serios de la obra de Hölderlin[21], entienden que un cambio tan radical sólo puede ser entendido como anuncio de la locura que poco después atenazará el alma del poeta. No lo sé, pero sí parece probable que este cambio sea testimonio de la brutal tensión en la que Hölderlin vivía por aquellos años, donde textos contradictorios ponen de manifiesto que no quería ver lo que sin embargo ya veía, que el desenfreno y el vacío no son compatibles con una concepción teleológica y escatológica del tiempo y del devenir histórico, último agarradero del poeta, según veremos más adelante.

---

[21] Por ejemplo, J. Schmidt, «Trägodie und...», p. 74.

Pero todas estas cuestiones sólo puede decirlas la poesía, no la filosofía; asuntos, en definitiva, que sólo están al alcance de aquéllos que han sido golpeados por Apolo[22].

[handwritten annotations: "11-3-2003 más interesante est capítulo" with signature; "YES! 11-08-11" with signature]

---

[22] Carta a Böhlendorff, nov. 1802: «...kann ich wohl sagen, dab mich Apollo geschlagen» (St.A., 6,1, 432, n.º 240). Y al mismo Böhlendorff ya había escrito el 4 de diciembre de 1801: «Por lo demás, podría gritar de júbilo debido a una nueva verdad, una visión mejor de lo que se encuentra por encima de nosotros y a nuestro alrededor». Pero Hölderlin también es consciente del peligro que le acecha: «Pero ahora temo que al final me ocurra lo que al antiguo Tántalo, que estuvo más cerca de los dioses de lo que podía soportar»(St.A, 6,1, 427, n.º 236). Más adelante me ocuparé de esta cuestión.

54

IV

Intentos filosóficos[1]

Hölderlin llegó a estar plenamente convencido de que hay cosas (las verdaderamente decisivas), que no pueden decirlas los filósofos, pero sí los poetas. Tal es, por otra parte, la conclusión que ya se apunta en el más filosófico de sus ensayos, «Juicio y Ser»[2], según algunos autores uno de los textos fundacionales en la historia del Idealismo Alemán[3]. Este breve texto está dividido en tres partes[4], dedicadas respectivamente a «Ser», al «juicio» y a las modalidades de realidad y posibilidad, y encabezadas cada una de ellas por una definición. Ser: expresa la unión *(Verbindung)* de sujeto y objeto; juicio: es, en el sentido más elevado y estricto, la escisión o separación originaria *(ursprüngliche*

---

[1] El profesor J. Rivera de Rosales leyó este capítulo y me hizo muchas y muy valiosas sugerencias, que he aprovechado en gran medida.

[2] St.A., 4,1, 216-217.

[3] Cfr. D. Henrich, «Hölderlin über Urteil und Sein. Eine Studie zur Enstehungsgeschichte des Idealismus», en *Hölderlin Jahrbuch*, 1965/66, pp. 73-96. Tb. *Der Grund im Bewußtsein. Untersuchungen zu Hölderlins Denken (1794-1795)*, Stuttgart, Klett-Cotta, 1992.

[4] Sobre la correcta ordenación de estas partes y, en consecuencia, sobre el título más adecuado para este escrito de Hölderlin, cfr. M. Franz, «Zum Grundriß von "Seyn Urtheil Möglichkeit"», en *Hölderlin Jahrbuch*, 1986/87, pp. 100-101.

Trennung) de sujeto y objeto; realidad y posibilidad, que deben ser diferenciadas como conciencia mediata e inmediata.

De estas definiciones se sigue que «Ser» en sentido absoluto *(das Seyn schlechthin)* no puede ser objeto de conocimiento, porque el objeto de conocimiento entra en el ámbito del juicio, que es separación de objeto y sujeto, y «Ser» es perfecta unión de sujeto y objeto, que sólo se puede decir en una «intuición intelectual». Kant había señalado[5] que la intuición intelectual no está al alcance de los seres humanos. La intuición, argumenta, sólo puede ser sensible, sólo se puede referir a datos suministrados por la sensibilidad: intuimos algo diferente de la misma intuición, justamente los datos proporcionados por la sensibilidad. Una intuición de lo intelectual (i.e. de lo no sensible) tendría, por el contrario, que obtener su materia a partir de sí misma. Sería, en definitiva, una intuición activa, que produciría su objeto tanto formal como materialmente, al alcance sólo de un entendimiento divino creador, pero no del nuestro, que es pasivo ante la realidad o existencia del mundo objetivo. Ahora bien, si todo conocimiento implica dos polos y si somos pasivos ante la realidad o existencia del mundo objetivo, entonces no se comprende bien cómo puede haber una intuición que lo fuera de sí misma. De aquí que Kant excluyera la intuición intelectual del ámbito de las capacidades cognoscitivas humanas.

Para Hölderlin, sin embargo, «Ser» sólo se puede alcanzar en una intuición intelectual (o quizá mejor: como intuición intelectual), lo cual no puede entenderse en el sentido de que «Ser» es objeto *(Gegenstand)* de la intuición intelectual, pues para la intuición intelectual no hay ni objeto ni sujeto. En efecto, si «Ser» es antes de toda separación de objeto y sujeto, no puede ser objeto, pues en el momento de decir «Ser» todavía no disponemos de la categoría «objeto»

[5] *KrV* B 68-72, 148s, 159, 342-6; *KU* 352, 367.

y, por tanto, en sentido estricto, no puede ser dicho: sólo cabe que se diga a sí mismo (poéticamente). Esto es, si «Ser» es lo absolutamente primero, lo previo a la separación objeto-sujeto, entonces no puede ser objeto de la intuición intelectual, porque en el momento de la intuición intelectual no hay objeto que se separe de un sujeto, sino justamente la unión previa a toda separación de sujeto y objeto. La separación, pues, exige la presuposición de un todo más allá de cualquier escisión (Spinoza). Hölderlin, pues, está interesado en los mismos problemas que en los poemas de la época de Walterhäuser y Jena: las preguntas por el principio del saber, por la unidad del Ser y por el origen de la separación[6]. La problemática, en definitiva, de Fichte y Schelling. En el caso de Hölderlin: la superación en clave más o menos schilleriana del absolutismo de la razón, que Hölderlin veía representado en la filosofía transcendental de Kant.

Kant había influido profundamente en Hölderlin. En carta a su hermano del 21 de mayo de 1794 escribe: «Por ahora, Kant es mi única lectura. Cada vez se me desvela más ese maravilloso espíritu»[7]; el 10 de Julio de ese mismo año confiesa a Hegel que Kant y los griegos son su única lectura. Y todavía en 1799 celebra a Kant como el «Moisés de nuestra nación, que la conduce desde la postración egipcia al desierto libre y solitario de su especulación y trae la enérgica ley desde la montaña sagrada.» La filosofía de Kant, como filosofía de la época, es la única posible.

Cierto y acertado, pero insuficiente, como muestra no ya Empédocles, sino incluso el Hiperión del *Fragmento del Hiperión,* que es un personaje kantiano y, que por serlo, muestra las insuficiencias del planteamiento de Kant. Kantiano, en tanto que toda su acción viene determinada por la razón (autónoma); pero su exigencia –expresada al final de

---

[6] Cfr. H. Bothe, *Hölderlin*, Hamburg, Junius, 1994, p. 58.
[7] St.A., 6,1, 119 (n.º 80).

la novela– de que salga a la luz «el gran misterio, que me de la vida o me la arrebate» es la exigencia de conocer la verdad de la cosa (la cosa en sí), lo cual, desde los planteamientos kantianos, es imposible alcanzar para el sujeto humano, que debe satisfacerse con la única certeza de la autoevidencia de su conciencia. Pero Hiperión en modo alguno queda satisfecho con este conocimiento (desde su punto de vista) residual. El sabe, precisamente porque es kantiano, que su subjetividad jamás alcanzará el grado de la certeza objetiva; una subjetividad que, sin embargo, le hace sentir, suponer o quizá soñar que hay una conexión más elevada *(der höhere Zusammenhang* del que más adelante hablará en «Sobre la Religión») entre ella y el todo de la naturaleza que la rodea. Sabe, en definitiva, de la separación entre él, sujeto cognoscente, y la naturaleza; sabe que existe lo otro y quiere una unidad, como decía, sentida, supuesta o quizá sólo soñada. El problema es que el absolutismo de la razón prohíbe sentir, suponer o soñar. «La ciencia –escribe Hiperión a Bellarmino– a la que perseguí a través de las sombras, de la que esperaba, con la insensatez de la juventud, la confirmación de mis alegrías más puras, es la que me ha estropeado todo. En vuestras escuelas es donde me volví tan razonable, donde aprendí a diferenciarme de manera fundamental de lo que me rodea; ahora sí estoy aislado entre la hermosura del mundo, he sido expulsado del jardín de la naturaleza, donde crecía y florecía, y me agosté al sol del mediodía. ¡Oh sí! El hombre es un dios cuando sueña y un mendigo cuando reflexiona...». Por estas fechas, Hölderlin no conoce la respuesta a esta desazón, pero al menos sabe que no la va a encontrar en Kant, y lo que quizá sea más decisivo: sabe también que su misma forma de preguntar está destinada a rebasar los planteamientos kantianos (y pronto aprenderá que también los fichteanos).

Hölderlin ya sospechaba que en la filosofía de Fichte anidaba el dogmatismo. A este respecto, es fundamental su carta a Hegel del 26 de Enero de 1795, donde desarrolla argumentos paralelos a los de «Juicio y Ser». Escribe Hölderlin refiriéndose a Fichte (e interpretando su pensamiento de forma quizá excesivamente dogmática y sin duda demasiado spinozianamente): «su Yo absoluto (=la substancia de Spinoza) contiene toda realidad: él es todo y fuera de él no hay nada»[8]. En el Yo absoluto de Fichte reconoce Hölderlin la estructura del concepto de *omnitudo realitatis*, característico de la definición de dios en la teología racional de la metafísica pre-kantiana. Pero ya Kant había mostrado que este concepto racional de dios de la *omnitudo realitatis* sólo puede pretender validez como «ideal transcendental», lo que en modo alguno autoriza a concluir la existencia de un ser semejante[9]. Hölderlin, pues, se sirve de Kant para criticar a Fichte[10] y, además, señala que la substancia de Spinoza satisface la misma función que el Yo absoluto fichteano. En la citada carta a Hegel, Hölderlin argumenta que el Yo absoluto de Fichte o bien no es absoluto, porque en tanto que Yo que conoce está remitido a un objeto que ya no es él; o bien, si es absoluto (si, en efecto, «contiene toda realidad, es todo y fuera de él no es nada»), no es un Yo, pues un Yo sin conciencia no es pensable y la conciencia sólo es posible bajo la presuposición de que algo se oponga a la misma conciencia.

¿Qué quiere decir todo esto? ¿qué relación tiene con las tesis expuestas en «Juicio y Ser»? Que lo que precede a toda *Urteilung* (a todo juicio, a toda división entre sujeto y objeto, esto es, lo absolutamente originario) no puede ser pensado como Yo (al modo fichteano), ni tampoco como substancia (al modo spinoziano), pues la definición spinoziana de substancia *(«id, quod in se est et per se concipitur»)*, en la

---

[8] St.A., 6,1, 155 (n.º 94).
[9] Cfr. *KrV* B 59 y ss.
[10] Cfr. D. Henrich, *op. cit*, pp. 91-92.

medida en que contiene en sí una parte ontológica (*«in se est»*) y una parte epistemológica (*«per se concipitur»*) abarca la totalidad de la realidad (*omnitudo realitatis*) y, por tanto, la conciencia no puede ser ajena a ella. De donde se sigue que la substancia de Spinoza se encuentra en la misma incómoda situación que el Yo absoluto de Fichte.

Brevemente: en la medida en que «Ser» precede a toda relación de un sujeto con cualquier objeto, no puede ser objeto de conocimiento, sino que es dicho estéticamente en una «intuición intelectual». Como en tono muy schilleriano escribe a Schiller el 4 de septiembre de 1795: «...intento mostrar que la exigencia inevitable que hay que plantearle a cada sistema, la reunión del sujeto con el objeto en un absoluto -Yo, o como se quiera denominar- es posible estéticamente en la intuición intelectual...»[11]. Pero ésta no puede ser confundida con la forma de la «autoconciencia», pues –como explica Henrich[12]– en la autoconciencia están bien separados objeto y sujeto, aun cuando sea lo mismo lo que aparece como lo uno y como lo otro. Y en la medida en que el principio de identidad se obtiene a partir de la autoconciencia, «Ser» tampoco puede ser pensado como identidad[13].

De acuerdo con Hölderlin, la conciencia sólo es posible en el contexto de la escisión sujeto/objeto; de esta forma, la conciencia de la autoconciencia sólo puede surgir en tanto que Yo (como sujeto) me identifico (en tanto que objeto) como «Yo mismo». Así pues, «Yo=Yo», una forma de autorreferencialidad que presupone necesariamente y contiene en sí una contraposición previa. De donde se sigue que la identidad absoluta no se puede conseguir por este camino de la conciencia, sino que se trata más bien de un dato prereflexivo, lo cual no quiere decir que sea una especulación

---

[11] St.A., 6,1, 181 (n.º 104).
[12] *Op. cit*, p. 79.
[13] Cfr. M. Franz, *op. cit*, p. 11.

vana y estéril. Todo lo contrario, pues la identidad absoluta es la presuposición ontológica de que sujeto y objeto puedan existir relacionalmente y de que puedan hacerse identificaciones, pues sólo cabe identificar lo que ya existe previamente, de algún modo pre-reflexivo, en una síntesis transcendental[14]. A esta síntesis *a priori* Hölderlin la denomina «*Seyn schlechthin*».

Como es obvio, se trata de un «Ser» suprarracional y transcendente frente a la conciencia, que justamente por esto no puede ser recuperado por el discurso, racional e inmanente, de la filosofía del idealismo alemán. Pero sí poéticamente, por ejemplo, en la tragedia, pues el «*Seyn schlechthin*» existe como belleza. Hölderlin, tomando pie en Platón, lo expresa con enorme claridad e intensidad poética (no podía ser de otro modo) en el prólogo a la penúltima versión del *Hiperión*: «No tendríamos ninguna idea de aquella paz infinita, de aquel Ser, en el único sentido de la palabra, no aspiraríamos a unir la naturaleza con nosotros, no pensaríamos ni actuaríamos, no habría absolutamente nada (para nosotros), incluso no seríamos nada (para nosotros), si no existiera, no obstante, aquella unión infinita, aquel Ser, en el único sentido de la palabra. Existe –como belleza; nos espera un nuevo reino donde la belleza será la reina.»[15]. Pero pocas líneas más arriba ya había escrito: «La venturosa concordia, el Ser, en el único sentido de la palabra, está perdido para nosotros (...) Nos separamos del apacible *Uno y Todo* del mundo para producirlo por *nosotros mismos*». ¿Cómo? Como la tragedia pone de manifiesto: la unidad originaria del Ser sólo es recuperable a través de la escisión y el desgarramiento, más exactamente, como escisión y desgarramiento, como trágico dolor *(Trauer)*.

[14] Cfr. U. Beyer, *Mythologie und Vernunft. Vier philosophische Studien zu Friedrich Hölderlin*, Tübingen, Max Niemeyer, 1993, pp. 74-75.
[15] P. 149 (St.A., 3, 236-237).

El tema de la escisión es fundamental en la versión métrica del *Hiperión*; pero Hölderlin, todavía optimista en esta época, se afirma en la fuerza del Amor como superadora de los destructivos impulsos antagónicos que definen el ser del hombre. El joven Hiperión, seducido por la filosofía (fichteana, cabría añadir) cree que sólo se podrá alcanzar un mejor estado del mundo y de los hombres mediante la absoluta superación de la naturaleza por medio del espíritu: cree (vanidosa locura) en la omnipotencia absoluta del Espíritu frente a la naturaleza, en la victoria del Espíritu sobre la naturaleza, no en su reconciliación: «Sin querer, la escuela del destino y los sabios me habían hecho injusto y tiránico con la naturaleza. La absoluta incredulidad que abrigaba contra todo lo que recibía de sus manos, no dejaba medrar en mi amor alguno. El espíritu puro, libre, creía yo, no podía conciliarse nunca con los sentidos y su mundo, y no había más alegría que la de la victoria (...) solía alegrarme del combate que la razón libraba con lo irracional, porque para mí, secretamente, se trataba más de alcanzar luchando el sentimiento de la superioridad una y otra vez, que de comunicar la hermosa concordia a las fuerzas que agitan turbulentas el pecho del hombre»[16].

De lo que se trata, por tanto, es de superar este dualismo, pero sin negar ni limitar (injusta y tiránicamente) ninguno de los dos impulsos que se enfrentan antagónicamente. Como ya he sugerido más arriba, la filosofía de Fichte no lo consigue, sino que más bien (al menos a los ojos de Hölderlin) lo profundiza todavía más. Es la teoría platónica del Amor la que ayuda a Hölderlin, al menos, a clarificar sus ideas: el Amor, en tanto que «hijo», unifica en sí sin negar ni limitar los rasgos esenciales de sus progenitores, *Poros* y *Penia*. Más en concreto, tres momentos del *Banquete* son

---

[16] Borrador en prosa a la versión métrica del *Hiperión*, p. 71 (St. A., 3, 186).

los que ahora conviene tener en cuenta: la referencia de Erixímaco a Heráclito, el discurso de Aristófanes sobre los andróginos y el mito del nacimiento del Amor.

Erixímaco, en calidad de médico y después de trazar un
paralelismo entre su arte y el amor, se refiere a la relación
entre éste último, la música y la armonía. En este contexto
cita a Heráclito: «Dice [Heráclito] que Uno, *pese a diferir en
sí, concuerda consigo mismo, como la armonía del arco y la
lira*. Pero es un gran desatino decir que la armonía difiera o
resulte de cosas que todavía difieran»[17]. El desacuerdo entre
Erixímaco y Heráclito es fácilmente explicable: el primero
de ellos, en la línea de Alcmeón y los pitagóricos, defiende
que la salud consiste en la armonía de los contrarios físicos
y que la medicina introduce armonía donde antes había di-
sarmonía, de suerte que desaparece la tensión de los contrarios. Para Heráclito, por el contrario, es la tensión de los
contrarios la que define y constituye esencialmente el cosmos. Esta permanencia y subsistencia de los contrarios (de
los «impulsos antagónicos», de *Poros* y *Penia),* aún en su
unificación reconciliadora, es lo que interesa a Hölderlin,
que se atiene estrictamente a la formulación heracliteana sin
tener en cuenta la modificación que introduce Erixímaco[18].
Para ser más exactos: se atiene estrictamente a un Heráclito
pasado por Spinoza/Jacobi; en último extremo, lo que aquí
está en juego es una «Filosofía de la Unificación» en la estela de Herder y Hemsterhuis. Pero esta es una cuestión que
desborda los límites de la presente investigación.

El discurso de Aristófanes sobre los andróginos es sobra-
damente conocido. Para Aristófanes el Amor no es el deseo
abstracto de un conjunto de cualidades deseables en sí mismas, sino el deseo de la otra mitad entendida como un

---

[17] *Banquete,* 187 a (trad. de L. Gil).
[18] Cfr. S. Roth, *Friedrich Hölderlin und die deutsche Frühromantik,*
Stuttgart, Metzler, 1991, p. 197.

todo, pero como un todo único e irreemplazable: el amante no puede satisfacerse con cualquier persona, sino única y exclusivamente con aquélla que le corresponde de suyo. Hiperión sólo puede amar a Diotima. Cuando Aristófanes define al Amor como «el deseo y persecución de un todo»[19] utiliza la palabra *ólon,* que es el término técnico que emplea Platón para nombrar al todo entendido como unidad y no como mera suma de partes; para referirse al todo en este último sentido suele utilizar la expresión *tò pan.* Así, lo que verdaderamente desean los amantes es «reunirse y fundirse con el amado y convertirse de dos seres en uno solo»[20]. Para Hölderlin, igualmente, el Amor es esa tensión y ese esfuerzo dirigido a recuperar una unidad perdida. Escribe Hiperión a Belarmino: «No eramos [él y Diotima] sino una sola flor, y nuestras almas vivían una en otra como la flor cuando ama y oculta sus tiernas alegrías en su cerrado cáliz». Pero añade a continuación: «Y a pesar de esto, ¿no me fue arrancada y arrojada al polvo como una corona usurpada?». Regresemos ahora a Aristófanes: hay un momento en su discurso en el que señala que Zeus, tras dividir en dos a los hombres, ordenó a Apolo que diera la vuelta a su rostro, y así, con esta acción, hace que miren en la dirección equivocada. Con esta matización, Aristófanes no reintroduce el tema de los dos amores, Vulgar y Celestial, que había aparecido en los discursos de Pausanias y Erixímaco, pues Amor siempre es el mismo (la fuerza que empuja a los seres humanos a recuperar su antigua naturaleza); son los seres humanos quienes, al tener el rostro girado, miran en la dirección equivocada. La distinción entre dos tipos de amor es un engaño o una falsa ilusión que se hacen ingenuos como Pausanias o Erixímaco, que así creen poder superar la desgraciada condición humana que les es propia en tanto que seres hu-

[19] *Banquete,* 192 e.
[20] *Banquete,* 192 e.

manos que han perdido su naturaleza originaria. Dicho ahora con palabras más próximas a Hölderlin: su unidad originaria previa a los desgarradores «impulsos antagónicos».

En el borrador en prosa de la versión métrica del *Hiperión*, Hölderlin pone en boca de un «extranjero» el mito platónico del nacimiento del Amor: «Cuando nuestro ser, en un principio infinito, sufrió por primera vez, y la fuerza desbordante y libre sintió las primeras barreras, cuando Pobreza se apareó con Abundancia, entonces nació el Amor»[21]. De acuerdo con este texto, el nacimiento del Amor se equipara con el surgimiento de la autoconciencia y su finitud; a partir de este momento, continúa explicando el extranjero (que, sin duda, conoce bien las *Cartas...* de Schiller), la unidad originaria de los seres humanos se rompe por la aparición de dos impulsos antagónicos: de un lado, la tendencia a superar la finitud y la limitación de nuestro ser; de otro, la tendencia, dice Hölderlin, a conservar «de buen grado esas cadenas», pues sin ellas no sería posible el surgimiento de la autoconciencia y lo que ella implica. Con palabras de Hölderlin: «...pues si lo que de divino hay en nosotros no fuera por resistencia alguna limitado, no sabríamos nada de lo que hay fuera de nosotros, ni tampoco nada de nosotros mismos, y no saber nada de sí, no sentirse, y estar aniquilados, es para nosotros lo mismo». Sólo el Amor une estos dos impulsos antagónicos, pues para Hölderlin el Amor, explica Dieter Heinrich, «es la fuerza sintética que puede producir el estado en el que coincide lo opuesto y configura un todo armónico. De este modo, no sólo unifica a los hombres entre sí. En la vida de los hombres, dominada por tendencias contrapuestas, posibilita y crea su unidad consigo misma y, puesto que abarca todas las tendencias de la vida, es de igual modo unificación y la auténtica realidad de la unificación»[22].

---

[21] p. 74 (St.A., 3, 192).
[22] *Der Grund im Bewubtsein. Untersuchungen zu Hölderlins Denken (1794-1795)*, Stuttgart, Klett-Cotta, 1992, p. 192.

Pero, en tal caso, «las cadenas», esto es, la naturaleza como materia y mera facticidad que se opone a la libertad incondicionada del Yo absoluto, son a la vez «el adversario y el amigo»[23]. De donde se sigue que hay que mirar a la naturaleza no sólo «fichteanamente», sino también «amorosamente», pues el Amor, como quiere Platón, no es la reconciliación, sino el camino hacia ella: es la unificación pero en un estadio todavía de separación. Algo, por tanto, que, platónicamente, ocupa un lugar intermedio: «...de suerte que es necesario que el Amor sea filósofo, y, por ser filósofo, algo intermedio entre el sabio y el ignorante»[24]. En efecto, los que filosofan son los que ocupan un lugar intermedio entre la autenticidad del verdadero saber y la absoluta distancia de los que ignoran. De acuerdo con Platón, la tarea del Amor consiste en superar esta distancia; más exactamente: Amor es la fuerza que permite superar esta distancia y, en consecuencia, entrar en el ámbito de la autenticidad del verdadero saber, que para Hölderlin no es la filosofía. Hölderlin comprenderá poco a poco, en un itinerario que se solapa con las sucesivas versiones del *Hiperión* y que culminará en su concepción de la tragedia, que se trata de un camino de escisión y desgarramiento, de trágico dolor.

Lo que Hölderlin, ayudado por Platón, busca al acudir a la tragedia no lo había encontrado ni en Fichte, ni en Spinoza, ni en Schelling, porque sólo en la tragedia se pone de manifiesto que «cuanto más radicales, dolorosas e irreconciliables sean las escisiones, tanto más intensamente se manifiesta en ellas la unificación de todo cuanto vive»[25]. Por esto, frente a las tesis defendidas en «Juicio y Ser», los pasajes que

[23] A. Ferrer, *La reflexión del eremita. Razón, revolución y poesía en el Hiperión de Hölderlin,* Madrid, Hiperión, 1993, p.80.
[24] *Banquete,* 204 a.
[25] R. Bodei, *Hölderlin: la filosofía y lo trágico,* Madrid, Visor, 1990, p. 27.

páginas más arriba comentaba de las «Notas...» y de las últimas versiones del *Empédocles* suponen una radicalización. La conclusión a la que allí se llegaba (a partir de la conceptualización que realiza Hölderlin cada vez más sutil y compleja de lo real que se opone a los designios del héroe y de su comprensión de lo político) era la de la necesidad de cambiar el *topos* del discurso, lo que es, en efecto, una radicalización, pues supone pasar de la insuficiencia de la filosofía *de...* (Fichte, Spinoza o Schelling) a la insuficiencia del discurso filosófico (en cuanto tal). El 12 de noviembre de 1798 escribe a Neuffer: «Lo que más ocupa ahora mi pensamiento y mi mente es lo vivo en la poesía. Noto muy hondamente lo lejos que estoy todavía de encontrarlo, y sin embargo toda mi alma aspira a ello (...). Existe desde luego un hospital al que puede retirarse con honor cualquier poeta malogrado como yo: la filosofía»[26]. Y con más claridad a la madre, en Enero de 1799: «Pero ahora sé muy bien que también he sentido profundos descontentos y malos humores por haberme dedicado con demasiada atención y esfuerzo a ocupaciones que parecían menos adecuadas a mi naturaleza, por ejemplo, la filosofía, y eso con buena voluntad, porque me asustaba el título de poeta vacío. Durante mucho tiempo no supe por qué el estudio de la filosofía, que normalmente compensa con sosiego la empeñada aplicación que exige, por qué a mi cuanto más ilimitadamente me entregaba a él me volvía más intranquilo e incluso apasionado; y ahora me lo explico pensando que me alejaba un paso más de lo necesario de la que es mi tendencia propia, y que mi corazón suspiraba por sus queridas ocupaciones en medio de ese trabajo innatural...»[27].

Allí donde se hace cuestionable la razón filosófica como tal aparece, con toda su fuerza fascinadora, el mito, en el

---

[26] St.A., 6,1, 289 (n.º 167).
[27] St.A., 6,1, 311 (n.º 173).

sentido «tautegórico» que Schelling –compañero de estudios de Hölderlin– le dará en su *Filosofía de la Mitología,* esto es, como algo que no remite a nada verdadero fuera de él, sino que es él mismo esto verdadero. Pero Hölderlin, radicalmente, no desarrolla una filosofía de la mitología, sino una nueva mitología. Para comprender el sentido de esta radicalización (que, a su vez, interesa para comprender el sentido que Hölderlin da a su fe en los dioses griegos) tal vez no sea ocioso detenerse brevemente en otros dos breves textos teóricos de Hölderlin: «Sobre la Religión» y «La forma de proceder del Espíritu Poético».

14-3-2003

Nada otra vez

Algo ahora,

20-08-2011.

Y ahora!

27-08-2011.

V

Para una nueva mitología

La unidad sujeto/objeto (lo absolutamente originario, lo que precede a toda división) sólo puede decirse, como se lee en la carta a Niethammer del 24 de febrero de 1796, «estéticamente en la intuición intelectual»[1]. «Para ello necesitamos sentido estético»[2], que es justamente lo que caracteriza al poeta si es que es, como Sófocles o Píndaro, verdadero poeta y no sólo habilidoso pergueñador de versos. La intuición del verdadero poeta (i.e. del poeta que dice verdad) está en congruencia con el sentido y la intención del «Ser», pues el poeta no está con respecto al Ser en la relación sujeto/objeto, sino en una relación medial: su voz no es subjetiva, sino, por decirlo heideggeriamente, una *Ekstase* del Ser mismo[3].

En este contexto, el ensayo «Sobre la Religión» tiene cierto interés, pues en él se emprende el paradójico intento de fundamentar filosóficamente por qué hay cosas que no

---

[1] St.A., 6,1, 202 (n.º 117).

[2] *Ibidem.*

[3] Cfr., U. Beyer, «Mythologie der Vernunft. Hölderlins ontologische Begründung einer Hermeneutik der Geschichte», en U. Beyer (ed.), *Neue Wege zu Hölderlin*, Königshausen & Neumann, Würzburg, 1994, p. 50.

se pueden decir filosóficamente, sino sólo de forma mítica y poética: una fundamentación ontológica y hermenéutica de por qué el «*Sein schlechthin*» no puede ser dicho (argumentado) filosóficamente, sino sólo narrado mítico-poéticamente en su devenir histórico-temporal, esto es, en sus diversas manifestaciones en los diferentes «mundos».

Existen dos formas de relación o conexión, una mecánica y otra más elevada *(der höhere Zusammenhang)*. La conexión mecánica, argumenta Hölderlin, se refiere a la necesidad física y moral *(physische und moralische Nothbedurf)*, al ámbito del «juicio» preso de la escisión sujeto/objeto, un ámbito no penetrado poéticamente y no experimentado como «lo uno en sí mismo dividido». Los hombres pueden contentarse con esta vida deficitaria, pero también pueden elevarse hasta la conexión más elevada, que pone de manifiesto que todo *(pan)* es uno *(hen)*, de suerte que aquél que ha conseguido alzarse a esta dimensión ya no considera las cosas en su aislamiento objetual, sino que las aprehende intuitivamente en tanto que forman parte del Todo constitutivo, como, por ejemplo, hizo Vanini, al que Hölderlin dedicó un encendido poema, cuya publicación fue rechazada por Schiller. Los hombres, escribe Hölderlin, se elevan por su propia naturaleza *(ihrer Natur nach)* por encima del estado de necesidad, «y, así, se encuentran en una relación más múltiple y más íntima con su mundo», a la que denomina «una vida humana más elevada» y «un destino más elevado» entre hombre y mundo. Ahora bien, por su propia naturaleza y características esta forma superior de vida, esta conexión o relación más elevada —que el Hiperión del *Fragmento del Hiperión*, kantiana y a la vez antikantianamente, ya sentía, suponía o quizá soñaba— no es susceptible de ser aprehendida adecuadamente por la razón: «El mero pensamiento, por noble que sea, sólo puede repetir la *conexión necesaria*, sólo las inquebrantables, absolutamente válidas, imprescindibles leyes de la vida, y, precisamente en el grado

70

en que se arriesga por encima de este dominio que le es peculiar e intenta pensar la conexión, más íntima, de la vida, niega también su carácter peculiar, el cual consiste en que puede ser entendido y probado sin ejemplos particulares»[4]. La razón no capta la vida, sino abstracciones, sean sociales, morales o jurídicas; no capta, en definitiva, la estructura religiosa (en el sentido de Hölderlin) de la vida real. De aquí la necesidad de un «modo de representación» *(Vorstellungsart)* diferente, más adecuado a la verdadera realidad, y al que Hölderlin denomina «mito». Los afortunados que acceden a este nivel experimentan (y no como meros espectadores, sino como participantes activos) la «fiesta de la vida», cuya forma es mítica.

¿Por qué esta necesidad? ¿por qué, se pregunta Hölderlin en «Sobre la religión»[5], tienen los hombres esta necesidad de «hacerse una idea o una imagen de su destino, que, exactamente considerado, ni se dejaría justamente pensar ni tampoco yace ante los sentidos»? Y responde: porque el hombre «puede y quiere *acordarse* de su destino, *agradecer* su propia vida.» De suerte que al elevarse por encima de la necesidad «experimenta también una satisfacción más infinita, más general», la de acceder al *«Seyn schlechthin»*, que garantiza y fundamenta esa conexión o relación más elevada, que no es objetual, ni puede alcanzarse lógico-racionalmente, pero sí míticamente, pues en el mito acontece la mediación entre un acontecimiento empírico y su sentido transcendental, lo cual es posible porque el mito no es sólo «pensamiento» ni sólo «memoria»[6], o como Hölderlin también lo expresa en sus «Señales para la continuación» de «Sobre la Religión»: no es sólo «intelectual» ni sólo «histórico», sino que es «ambas cosas en uno».

[4] «Sobre la religión», p. 91 (St.A., 4,1, 276).
[5] P. 90 (St.A., 4,1, 275).
[6] *Ibídem.*

Esta forma de representación mítica *(mytische Vorstellungsart)* es, en esencia, conocimiento y pensamiento poético, pero poesía verdadera, como la de Sófocles o Píndaro, poesía religiosa, no porque cante y celebre al dios o a los dioses, sino porque es, literalmente, obra divina: no expresión humana y contingente de la divinidad, sino su presencia y parusía. Los griegos lo sabían, y por eso hay que volver la mirada constantemente hacia ellos. La verdadera poesía, porque es poesía religiosa, no es sólo obra humana, pues en su interior también actúa el espíritu divino que, como señala en «La forma de proceder del Espíritu Poético», posibilita esa unificación de espíritu *(Geist)* y materia *(Stoff)* que sólo se puede pensar como Absoluto.

Lo que está en juego en este trabajo teórico de Hölderlin es, nada más y nada menos, que la necesidad de un nuevo lenguaje para un nuevo pensamiento, y el mismo texto de Hölderlin no sólo es explicación, sino parte integrante del empeño; como también lo son, por otra parte, sus traducciones de Sófocles y Píndaro y sus poesías. La enorme dificultad de este texto nace tanto del críptico lenguaje y de la violenta sintaxis que utiliza Hölderlin, como de que en él se explica lo difícil por lo aún más difícil: el modo de proceder del espíritu poético a partir del modo de proceder del *Urgeist.* El texto comienza con un aluvión aterrador de frases condicionales que ponen de manifiesto la existencia de dos esferas, material y espiritual; se habla también en estas primeras líneas, heraclíteanamente, de un «alma comunitaria» de la que el poeta debe adueñarse y apropiarse. El poeta debe también entender «...que un conflicto necesario surge entre la más originaria exigencia del Espíritu, la cual se encamina a la comunidad y al unitario ser-a-la-vez de todas las partes, y la otra exigencia, la cual le ordena salir de sí y en un hermoso progreso y cambio reproducirse en sí mismo y en otros»[7]. Es decir, el poeta

[7] «Sobre la forma de proceder del espíritu poético», p. 55 (St.A., 4,1, 241).

debe entender la historia que se narra en la versión métrica del *Hiperión,* la de cómo el Espíritu, para reconocerse a sí mismo, tiene que enajenarse en la materia. Hölderlin caracteriza la estructura de esta historia como armónicamente contrapuesta *(«harmonischentgegengesetz»)* y señala que acontece según la ley de la acción recíproca *(Wechselwirkung),* que, a su vez, determina que los movimientos de materia y Espíritu sean complementarios. Por esto, y así concluye Hölderlin página y media de frases condicionales, «todo depende de la receptividad del material para el contenido ideal y la forma ideal»[8]; y se refiere tanto al poeta como al proceso cosmológico en su totalidad, pues para ambos rige por igual la ley suprema de la «acción recíproca». La contraposición armónica es, pues, doble: el hombre está contenido en una contraposición armónica (la del mismo proceso cosmológico) y, a la vez, contiene en sí mismo una contraposición armónica. Hay, pues, una contraposición armónica y una acción recíproca entre el sujeto y el mundo, pero no estática, sino procesual según una «vía excéntrica». De este tema me ocuparé más adelante, de momento regresemos a la cuestión de la «acción recíproca».

Ésta se manifiesta, en primer lugar, en la curiosa circunstancia de que el Espíritu se enajena en la materia, mas no como dos cosas diferentes, sino como un otro lo mismo: por esto Hölderlin habla del «libre movimiento, del armónico cambio y esfuerzo continuado en el que el Espíritu está inclinado a reproducirse en sí mismo y en otros». Lo cual (aunque parezca mentira) no es un planteamiento abstracto, pues también en nuestro mundo el *Urgeist* debe reproducir estructuralmente su ley: ahora, «en estos tiempos de indigencia» (en los que los dioses aún viven «pero allá arriba, sobre nuestras cabezas, en un mundo distinto») el *Urgeist* anda enajenado en este mundo, no en el sentido de

---

[8] Idem, p. 57 (St.A., 4,1, 243).

que algo se enajena en algo otro, sino en tanto que enajenado de sí mismo: no se reconoce en su unidad, pero puede hacerlo (lo que no sería posible si materia y espíritu fueran lo uno y lo otro, pero sí si son pensados –como hace Hölderlin y nos invita a hacer, aunque, lo reconozco, no es fácil– como «lo uno en sí mismo dividido» heracliteano). ¿Cómo hacerlo? La pregunta no es propedéutica, sino inmediatamente performativa: no es que primero se sepa cómo y luego se haga en virtud de las instrucciones recibidas, sino que decir «cómo» ya es un acto de reconocimiento de la unidad. Hölderlin, cuando redacta este texto para su propia autoaclaración, cuando traduce a Sófocles, cuando escribe «Pan y Vino»... está ya en marcha hacia ese nuevo lenguaje para ese nuevo pensamiento. De aquí que la pregunta: ¿cómo hacer que el *Urgeist,* ahora enajenado de sí mismo, se reconozca en lo que de hecho ya es: él mismo como lo uno en sí mismo dividido? y la pregunta: ¿qué hace Hölderlin? sean absolutamente sinónimas. ¿Cómo hacerlo? Poéticamente; ¿qué hace Hölderlin? Poesía religiosa, en el sentido antes indicado. De aquí que si estuviéramos arrebatados por el espíritu poético, podríamos aprehender y vivir en esa «conexión más elevada» a la que Hölderlin se refiere en «Sobre la Religión», y «entonces, entonces, como flores brotarían las palabras»: el regreso del *Urgeist* a sí mismo.

Si la única forma de organización de la materia que el espíritu puede aprehender es la poesía, entonces ésta no es sólo expresión o descripción de la cosa, sino la cosa misma, y es obligado que satisfaga en sí misma la ley de la reproducción del *Urgeist:* si la cosa es lo «armónicamente contrapuesto» la poesía debe ser «armónicamente contrapuesta», en el sentido de transformar la materia en una totalidad «armónicamente contrapuesta». Es decir, la poesía –en una especie de síntesis transcendental– pone unidad donde antes estaba la diversidad de la materia. Hölderlin lo expresa cuando señala que la poesía tiene una capacidad «hiperbólica», pues puede ir más allá de su fin, con lo cual se está refiriendo (creo) a su capacidad evocatoria: la poesía puede crear nuevas realidades y evocar una unidad que no existe en ningún lugar fuera de ella, y abre así nuevas posibilidades para el pensamiento. La poesía, en definitiva, tiene un doble estatuto: por una parte, pertenece al mundo material, pero por otra el poeta «da a lo ideal un nuevo comienzo», una significación, una dirección[9]. La poesía, que no deja de ser de naturaleza puramente material, produce sin embargo algo puramente espiritual.

Pero hay dos formas de vida poética: «pura» y «determinada y fundamentada mediante la reflexión poética». La primera «permanece, en efecto, absolutamente unitaria consigo misma»[10], la segunda, por el contrario, sólo está presente «como vida en general, y desde este punto de vista reina absolutamente un conflicto entre individual (material), universal (formal) y puro»[11]. El problema es el siguiente[12]: lo puro, entendido como lo absolutamente idéntico consigo mismo, no puede ser dicho, pues todo intento de aprehender en imágenes o conceptos lo absolutamente idéntico consigo mismo lo identifica con algo otro y, en consecuencia, deja de ser «puro». Cierto, la poesía pone unidad donde antes estaba la diversidad de la materia; pero lo hace en la materia y, así, sólo puede alcanzar la unidad en la medida en que renuncia a ella. Ante esta situación aporética comenta Hölderlin: «Es, pues, imposible que el modo de proceder del espíritu poético en su negocio pueda acabar aquí. Si es el modo de proceder verdadero, entonces todavía tiene que haber algo distinto que encontrar en él...»[13]. Y ahora, expre-

---

[9] Idem, p. 60 (St.A., 4,1, 245).
[10] Idem, p. 61 (St.A., 4,1, 245).
[11] Idem, p. 62 (St.A., 4,1, 248).
[12] Cfr. H.Bothe, op. cit., p. 90.
[13] *Ibidem*.

sada hipotéticamente (pues de este modo procede el espíritu poético), la solución: «...si lo directamente contrapuesto al espíritu (...) pudiera ser considerado y comprendido no sólo como aquello *mediante* lo cual lo armónicamente ligado está formalmente contrapuesto, sino como aquello mediante lo cual está también formalmente ligado (...) entonces aquel acto del espíritu que (...) sólo tenía por consecuencia un general conflicto, será un acto tanto más unificante cuanto contraponiente era *(ein ebenso vereinigender [Akt] sein, als er entgegensetzend war)*»[14]. Esto es, el modo de proceder poético tiene otras posibilidades al margen de la señalada antes, que era aporética por ser «juiciosa» (de juicio, *Ur-teil)*. Dos cosas, al menos, quedan claras: que sólo se puede pensar la unidad entre materia y Espíritu si se hace lo que es absolutamente imposible en el mundo material (abstraer de lo material y, en consecuencia, transcender por completo la esfera de la «vida en general»), y que esto es posible siquiera como hipótesis. El pensamiento, en tanto que poético, también es hiperbólico: también es capaz de ir más allá de él mismo, de construir figuras que es incapaz de satisfacer. Pero al reflexionar de este modo, no lo estoy haciendo desde el mundo empírico, sino desde el Absoluto. Entiéndase bien: no digo que el Absoluto exista o no exista, sino que me limito a señalar que en la poetología transcendental se piensa desde el Absoluto, lo cual no deja de ser algo lo suficientemente sorprendente en el contexto de mutabilidad y contingencia en el que nos movemos los humanos.

Hay aquí una dificultad que conviene, si no aclarar, sí al menos exponer con franqueza antes de seguir adelante. Repetidas veces he señalado que hay cosas, las verdaderamente decisivas, que no pueden ser dichas por la filosofía, sino sólo por la poesía. Ahora, sin embargo, vemos que la poetología transcendental es capaz de afirmaciones no sé si

[14] Idem, p. 63 (St.A., 4,1, 249).

verdaderamente decisivas, pero sí al menos bastante tremendas. Un par de comentarios: que la poetología transcendental de Hölderlin, aunque comparta temas, puntos de vista e incluso expresiones de la filosofía idealista de su tiempo, no es filosofía idealista, sino otra cosa mucho más cercana a la poesía (de Hölderlin). En segundo lugar: que en la poetología transcendental se piense desde el Absoluto no quiere decir que piense el Absoluto. Hölderlin, en sus reflexiones teóricas, no dice la cosa, sino que indica cómo se puede o no se puede decir la cosa; por esto, la poetología transcendental es metarreflexión, cuyo resultado es desconcertante desde un punto de vista filosófico, pues ¿qué quiere decir eso de que en la poetología transcendental se piensa desde el Absoluto, pero no el Absoluto? ¿Cómo se puede pensar desde el Absoluto sin pensar, a la vez, el Absoluto? Tarea imposible. Pero Hölderlin ya sabe de antemano la solución, obviamente en tanto que poeta. Hasta cierto punto, es una situación como la del círculo hermenéutico. La dificultad estriba en que a ella hay que entrar necesariamente por la puerta de la poesía, no por la de la filosofía. Dicho de otro modo: una vez dentro del círculo, los tránsitos entre la poesía y la poetología son (para ser sincero: supongo que deben ser) suaves y cómodos hasta la indistinción, pero para entrar en él hay que estar poseído por el espíritu poético y tener la suficiente fuerza hiperbólico-evocatoria. Por eso, a aquéllos que lamentablemente no estamos poseídos por el espíritu poético ni tenemos suficiente fuerza evocatoria nos resulta difícil comprender qué es lo que Hölderlin está queriendo decir. Las críticas de Adorno a la interpretación heideggeriana de Hölderlin son un buen ejemplo de las dificultades que tiene el discurso filosófico para recoger lo que expresa la poesía[15].

---

[15] Cfr. «Parataxis. Zur späten Lyrik Hölderlins», en *Gesammelte Schriften*, bd. 11, Frankfurt, Suhrkamp, 1974, pp. 445 y ss.

En cualquier caso, Hölderlin está convencido de que todo ser humano está habitado por la capacidad de pensar más allá de los límites de la experiencia posible; no filosófica, pero sí poéticamente. A esta capacidad la denomina «Dios en nosotros» *(Gott in uns)* dando así a entender que es signo de la presencia de la divinidad en la materia que somos nosotros. Ahora bien, que en la materia esté presente la divinidad quiere decir que la materia no es lo otro de la divinidad, sino lo mismo, es decir, lo Uno en sí mismo dividido. Una poesía exquisita, una poetología desquiciada y una cosmología delirante acaban dándose la mano para rastrear las «huellas de los dioses idos», pero que en algún momento habrán de regresar «en verdad».

Por otra parte, la poesía y la poetología transcendental, en la medida en que ponen de manifiesto el «Dios en nosotros», descubren también la triple articulación histórica del proceso del devenir: los dioses presentes, los dioses idos (pero que nos han dejado sus huellas, que hay que saber rastrear), los dioses regresados «en verdad». Esta triple articulación histórica se corresponde, a su vez, con la «vía excéntrica» que recorre el *Urgeist* desde sí mismo hasta sí mismo, que recorrió Hiperión y que también todos podemos recorrer, si es que no nos damos por satisfechos con una vida deficitaria y aspiramos a elevarnos hasta la «conexión más elevada»: Hölderlin dice «Dios en nosotros», y no sólo en unos pocos elegidos (lo cual, como decía en las páginas iniciales, no deja de ser un optimismo desmesurado).

Hiparco, el célebre astrónomo del siglo II antes de Cristo, con el objeto de dar cuenta de ciertas irregularidades en el curso anual del Sol, había señalado que la tierra no se encuentra exactamente en el centro de la órbita circular que describe el astro, sino ligeramente fuera de él *(ek kéntrou);* de suerte que la órbita solar en torno a nuestro planeta es «excéntrica»: un *ékkentros kúklos*. De acuerdo con Schadewaldt[16],

---

[16] «Die exzentrische Bahn bei Hölderlin», en *op. cit.,* pp. 674-675.

Hölderlin emplea la palabra «excéntrico» en este sentido astronómico: «La órbita excéntrica que el hombre, tanto la especie como el individuo, recorre desde un punto (el de la simplicidad más o menos pura) hasta el otro (el de la cultura más o menos consumada) parece ser, *en sus direcciones esenciales,* siempre idéntica a sí misma»[17]. Anacleto Ferrer[18] entiende que esta interpretación astronónica, «aunque verosímil desde el punto de vista de la psicología del personaje», pasa sin embargo por alto dos ideas esenciales, la de progresión y la de la corrección de la que es susceptible la órbita. En «Prólogo» al *Fragmento de Thalia* Hölderlin habla de «dos estados ideales para nuestra existencia»: el de la extrema simplicidad y de la extrema cultura; en ambos el resultado es el mismo, que nuestras necesidades «concuerdan consigo mismas, con nuestras energías y con todo aquello con lo cual estamos relacionados». Pero mientras que en el estado de extrema simplicidad este resultado se obtiene «en virtud de la mera organización natural, sin nuestra intervención», en el de extrema cultura es fruto de «la organización que somos capaces de darnos a nosotros mismos». En efecto, a pesar de que el proceso sea circular hay progresión, porque aunque se obtiene el mismo resultado, en este proceso, en este recorrido excéntrico, se desencadenan «necesidades y energías infinitamente más complejas y poderosas», es decir, lo que antes, en el estado de extrema simplicidad, venía dado de suyo (pues el hombre vivía en armonía con la naturaleza pero sin ser consciente de esta situación), posteriormente, en el estado de extrema cultura, se hace consciente, pues el hombre ya ha pasado una desgarradora fase intermedia en la que, como indica el verso tercero de la versión métrica del *Hiperión,* se vuelve tiránico contra la naturaleza. Sólo tras esta experiencia, cierta-

---

[17] «Fragmento de Thalia», «Prólogo», p. 35 (St.A., 3, 163).
[18] Cfr. *La reflexión del eremita. Razón, revolución y poesía en el Hiperión de Hölderlin,* Madrid, Hiperión, pp. 28 y ss.

mente dolorosa, puede el hombre regresar al punto de partida, pero enriquecido por la «órbita excéntrica» que ha recorrido, «...y no hay ningún otro camino posible de la infancia a la perfección», escribe Hölderlin en el «Prólogo» a la versión de Nürtingen. ¿Cuál fue el camino de perfección que recorrió Hiperión?

Los estudiosos de la obra de Hölderlin suelen distinguir tres fases: la de la amistad con Alabanda, la de amor y la de la lucha por la liberación de Grecia. Cada una de ellas tiene una estructura cíclica interna que se repite uniformemente[19]. Tanto da si se trata del momento de la amistad, del amor o de la acción (a los que aún cabría añadir una etapa preliminar, la de la instrucción con Adamas), pues siempre sucede lo mismo: se acerca el Sol, pero en el momento de máxima proximidad vuelve a alejarse, justamente porque su órbita es excéntrica. Sucede lo mismo en la novela: en cada una de las fases se alcanza de hecho cierta unidad, pero el movimiento no se detiene aquí, sino que prosigue su andadura excéntrica, y así como el Sol vuelve a alejarse, del mismo modo se aleja y quiebra la unidad precariamente alcanzada: Alabanda traiciona la amistad, Diotima muere, las nobles y liberadoras acciones bélicas degeneran en mero pillaje. La misma estructura excéntricamente cíclica puede detectarse en el *Empédocles* y resulta tentador suponer que Hölderlin pensó que también su propia biografía seguía una órbita excéntrica.

Pero, como decía, esta «vía excéntrica» no es o no es sólo una peculiaridad biográfica de Hölderlin (o de Hiperión y Empédocles). Su proceso personal de autoconciencia no es una rareza inusual, sino un caso más de lo que sucede cuando no te percatas, te empiezas a percatar y, por fin, te percatas del todo del «Dios en nosotros» al que me refería más arriba, cuando comentaba la poetología transcendental de Hölderlin. Señalaba allí que la contraposición armónica en-

---

[19] Cfr. P. de Man, «Keats y Hölderlin», p. 130.

tre sujeto y objeto debía entenderse procesualmente, y ahora cabe añadir que lo fundamental de «Sobre el modo de proceder del espíritu poético» no reside tanto en la afirmación de la contraposición armónica y acción recíproca de sujeto y objeto, cuanto en la tesis de que esta contraposición armónica tiene que ser reconocida por el hombre en el camino (excéntrico) que le lleva de la niñez al estado de madurez. «De esta manera –comenta Hölderlin[20]– alcanza el hombre su determinación, la cual es conocimiento de lo armónicamente contrapuesto en él mismo, en su unidad e individualidad, y, de nuevo, conocimiento de su identidad, de su unidad e individualidad en lo armónicamente contrapuesto». Pero conocimiento no en el sentido de un acto cognoscitivo teórico, sino en el de un proceso práctico-vital[21].

Pues hay, en efecto, un primer momento de ingenuidad en el que el hombre se siente uno con el mundo. Desde el punto de vista individual es el tiempo de niñez; desde el punto de vista de la humanidad es el «estado de naturaleza», donde reina la armonía y la unidad. Pero en este primer momento de ingenuidad el hombre todavía no es consciente de su mismidad: «él no se conoce en absoluto en su naturaleza subjetiva»[22]. Está, por lo tanto, sin conocimiento de sí mismo en lo armónicamente contrapuesto y sin conocimiento de lo armónicamente contrapuesto en él mismo; en consecuencia, en este estado todavía no se pone de manifiesto en toda su plenitud e infinitud la relación recíproca entre Yo y mundo, puesto que el hombre, en este momento, «es sólo vida objetiva o en lo objetivo»[23]. Pero la vía excéntrica

---

[20] «Sobre el modo de proceder el espíritu poético», p. 71 (St.A., 4,1, 257).

[21] Cfr. E. Mögel, *Natur als Revolution. Hölderlins Empedokles-Tragödie*, Stuttgart, Metzler, 1994, p. 187.

[22] «Sobre el modo de proceder...», p. 71 (St.A., 4,1, 257-258).

[23] Idem, p. 71 (St.A. 4,1, 258).

prosigue su recorrido: el hombre abandona el estado de niñez y debe experimentar y realizar históricamente su subjetividad hasta el extremo de la máxima oposición entre Yo y mundo. En este segundo momento (que es el nuestro) se rompe esa unidad originaria y el hombre se sabe y se reconoce separado de la naturaleza, ve en ella lo otro distinto de sí mismo y, en consecuencia, experimenta el dolor de la individuación y desea acallarlo. Puede, entonces, intentar regresar al primer estado (Hölderlin habla de un estado «demasiado objetivo»); pero este intento está destinado al fracaso, pues el hombre ya está pertrechado con la capacidad del pensamiento diferenciador[24]. Cabe, sin embargo, una segunda posibilidad, la del estado «demasiado subjetivo»: el hombre conceptualiza a lo otro como parte de sí mismo, con lo cual, pierde la posibilidad de conocerse a sí mismo como parte de un todo armónico[25]. Escribe Hölderlin: «En vano, pues, busca el hombre en un estado demasiado objetivo como en uno demasiado subjetivo alcanzar su determinación, la cual consiste en que él se reconozca contenido como unidad en lo divino armónicamente contrapuesto y, a la inversa, reconozca contenido como unidad en él lo divino, unitario, armónicamente contrapuesto. Pues esto es sólo posible en la bella sensación sagrada divina *(Denn dib ist allein in schöner heiliger göttlicher Empfindung möglich)*»[26].

Así pues, el fin de la singladura excéntrica, el momento en el que el estado de máxima cultura se engarza, enriqueci-

---

[24] Como dice P. de Man: «El hecho de "nombrar" el mundo y de aspirar al conocimiento perturba la unidad original y da inicio a la larga 'andadura excéntrica' que Hölderlin llama *Bildung*. De este modo, *Bildung*, la conciencia por iniciación, se asocia directamente a *Trennung* (la separación, la primera palabra clave que es negativa): el acto inicial de la conciencia destruye la comunión que le ha sido dada al ser». («Keats y Hölderlin», p. 128).

[25] Cfr. H. Bothe, *op. cit.* p. 98.

[26] Idem, pp. 72-73 (St.A., 4,1, 259).

do, con el de máxima simplicidad no se consigue en el estado «demasiado objetivo» ni tampoco en el «demasiado subjetivo», sino en una sensación (transcendental) «bella, santa y sagrada», que es el acto con el que el Espíritu regresa a sí mismo y cierra la «vía excéntrica». Es el más alto grado de conocimiento (poético) en tanto que tránsito a la forma más elevada de existencia humana. Ahora bien, como dice el texto de Hölderlin con toda claridad *(«Denn dib ist allein in schöner göttlicher Empfindung möglich»)* esta «sensación» transcendental es sólo una posibilidad, pero que, dado que el dios habita en nosotros, puede acontecer en verdad: «entonces aparecerán los dioses en verdad». En ningún otro lugar como aquí se expresa esa rara combinación de «tensa abstracción y fervor exaltado» que Paul de Man ve en la poesía y en la personalidad de Hölderlin[27].

Día de la Asunción 2011.

[27] Cfr. «El enigma de Hölderlin», en *Escritos críticos*, p. 265.

VI

Los griegos y la belleza

Y esto fue, exactamente, lo que sucedió en la Grecia clásica, pues lo que intuye (poética y, en consecuencia, performativamente) esa intuición «bella, santa y sagrada» es el «Todo y Uno» heracliteano: la absoluta y omniabarcadora reconciliación entre hombre y naturaleza. Hubo un tiempo en el que los griegos, felices ellos, conocieron el estado de máxima simplicidad, si bien hubieron de perderlo en el curso del recorrido de su vía excéntrica.

Ya he señalado que sólo en el medio del arte –no en el del discurso filosófico– es posible recuperar creativamente esta unidad perdida. También Goethe veía la obra de arte como producto quasi-natural, y señalaba que tal había sido el ideal del arte griego en su máxima perfección. Lo cual no puede ser entendido, al menos en el caso de Hölderlin, como si lo antiguo fuera un modelo perfecto y acabado que hubiera que recuperar para salir de la miseria de los tiempos presentes. En el ensayo «El punto de vista desde el cual tenemos que contemplar la Antigüedad» señala que frente a ésta sólo cabe elegir entre «ser oprimido por lo adoptado y positivo o, con brutal arrogancia, ponerse a sí mismo, como fuerza viviente, frente a todo lo aprendido, dado, positivo»[1].

---

[1] «El punto de vista desde el cual tenemos que contemplar la antigüedad», pp. 33-34 (St.A., 4,1, 221-222).

Grecia, lejos de ser vista como modelo a imitar en su idealidad, es aprehendida más bien en su facticidad dada, como opresión de la que hay que liberarse. Sin embargo, Hölderlin es perfectamente consciente de que la mera protesta sólo nos hundiría más y más en la dependencia; su lucidez es extrema: «Lo más difícil en esto parece ser el hecho de que la Antigüedad parece estar en contra de nuestro originario impulso, el cual se encamina a formar lo no-formado, a perfeccionar lo natural originario, de modo que el hombre nacido para el arte, de manera natural, prefiere lo crudo, no instruido, infantil, antes que un material formado, en el que, para quien quiere dar forma, hay ya elaboración previa. Y lo que fue fundamento general de la decadencia de todos los pueblos, a saber, que su originalidad, su viviente naturaleza previa, sucumbió bajo las formas positivas, bajo el lujo que sus padres habían producido, esto parece ser también nuestro destino, por cuanto un pasado casi ilimitado, que descubrimos o por instrucción o por experiencia, actúa y presiona sobre nosotros»[2].

En este mismo texto, Hölderlin habla de un «impulso a formar», de un *Bildungstrieb;* pero ¿cómo formar lo ya formado, lo que –como es el caso en Grecia– está ya enteramente formado? Los griegos, no lo olvidemos, también han recorrido una vía excéntrica, y se han alejado excéntricamente de lo suyo propio al igual que lo hemos hecho nosotros de lo nuestro propio. Por esto, lo nuestro, es decir, lo nuestro que podemos aprender de los griegos, es lo ajeno a los mismos griegos, pero que ellos han alcanzado en el curso del recorrido de su (excéntrico) «impulso a formar».

Schiller, con su distinción entre lo *naiv* y lo *sentimentalish,* o Friedrich Schlegel, con la oposición *plastisch/progressiv,* habían intentado captar la dialéctica entre lo antiguo y lo moderno sirviéndose de pares antitéticos, y, en general,

[2] *Ibidem.*

86

en toda esta época –a modo de culminación de la famosa *Querelle*– se tiende a pensar lo antiguo como momento de calma y reposo que se contrapone a lo moderno como momento de agitación y búsqueda de un ideal que nunca se llega a alcanzar. Pero, como fácilmente se desprende de todo lo dicho hasta el momento, ésta no puede ser la posición de Hölderlin, que evita toda dicotomía petrificadora y tiende más bien a buscar la dinámica de los mismos procesos históricos[3]; por esto ve a los griegos en los modernos y a los modernos en los griegos, pero no como imágenes que se reflejaran directamente la una en la otra, aún bajo la forma del anhelo, pues el que anhela desea ser, en el mejor de las casos, lo anhelado y, a modo de sucedáneo y triste consuelo, como lo anhelado. Sino como imágenes que se reflejan inversamente, que se rehuyen y que en el momento de máxima distancia encuentran sin embargo lo afín: justamente porque lo hespérico que podemos aprender de los griegos es lo ajeno al origen griego.

En efecto, lo «patrio» de los griegos, lo que forma parte más propiamente de su naturaleza original es lo aórgico, los orientales «pathos sagrado» y «fuego celestial»[4], mientras que lo propio nuestro, habitantes de las Hespérides, es lo orgánico, la sobriedad junónica. Sin embargo, los griegos, en el curso del recorrido de su vía excéntrica, se alejaron de lo suyo propio y trataron de hacerse con el elemento «propiamente extranjero», por decirlo con la expresión que Hölderlin utiliza en su carta a Böhlendorff. Nosotros recorremos el camino inverso; y así, si los griegos someten a la sobriedad junónica su elemento aórgico originario, noso-

[3] Cfr. B. Allemann, «Hölderlin zwischen Antike und Moderne», en *Hölderlin Jahrbuch*, 1984-1985, p. 41.

[4] Cfr. Carta a Böhlendorff de 4 de diciembre de 1801 y a Wilmans del 28 de septiembre de 1803. Tb. P.Szondi, «Überwindung des Klassizismus», en *Hölderlin-Studien. Mit einem Traktat über philologische Erkenntnis*, Frankfurt, 1977, pp.85 y ss.

tros, por el contrario, «aorgicizamos» lo que constituye lo propio nuestro. En consecuencia, escribe Hölderlin a Wilmans en carta del 2 de Marzo de 1804[5], nos extraviamos en el «entusiasmo excéntrico», pero que, sin embargo, podemos apaciguar volviendo a lo ajeno a la naturaleza originaria de los griegos, pero que éstos, como decía, han alcanzado en el curso del recorrido de su vía excéntrica (esto es, la sobriedad junónica).

Es el caso de Rousseau, para Hölderlin alguien dionisiaco y sin ley; de él dice la estrofa novena de «El Rin»:

> ¿Pero quién, como Rousseau, que,
> invencible el alma
> perseverante, tuvo
> sentido seguro
> y el dulce don de oir y decir
> —desde la plenitud sagrada,
> como el dios del vino,
> divinamente insensato y sin ley—
> la palabra de los más puros, que a los buenos
> da comprensión, mas con razón
> con la ceguera golpea a los envilecidos,
> siervos profanadores?
> ¿Cómo nombraré a este extranjero?[6].

---

[5] St.A., 6,1, 439 (n° 245).
[6] Wem aber, wie, Rousseau, der,
Unüberwindlich die Seele,
Die starkausdauernde, ward,
Und sicher Sinn
Und sübe Gabe zu hören,
Zu reden so, daß er aus heiliger Fülle
Wie der Weingott, törig göttlich
Und gestzlos sie, die Sprache der Reinesten, gibt
Verständlich den Guten, aber mit Recht
Die Achtungslosen mit Blindheit schlägt,
Die etweihenden Knechte, wie nenn ich den Fremden?
    (vv. 139-149)

Pero Rousseau supo templar esta tendencia aórgica con un elemento de sobriedad; su destino no le llevó a la muerte y a la destrucción, como le sucedió a Antígona o a Empédocles, sino a retirarse al lago Biel buscando un contacto íntimo con la naturaleza; cito los últimos versos de la estrofa décima de «El Rin»:

> Entonces, a menudo cree lo mejor,
> casi olvidado, retirarse allí,
> donde los rayos no abrasan,
> a la sombra del bosque,
> en el fresco verde del lago Biel,
> y despreocupadamente, la voz empobrecida,
> como los principiantes, aprender de los ruiseñores[7].

Pero detengámonos ahora por un momento en este poema, aunque más adelante volvamos a él. Los griegos, a pesar de haberse alejado de lo suyo propio, no lo olvidaron nunca por completo, al igual que el Rin, aún después de haber cultivado campos y fundado ciudades, tampoco olvida sus orígenes tumultuosos, su, por así decirlo, exceso de fuerza. Y justamente este exceso de fuerza, esta plenitud vital que no se deja sojuzgar por entero bajo la sobriedad junónica, fue lo que perdió a los griegos. Pues Grecia, y esta es una de las lecciones del *Hiperión,* está irremisiblemente perdida, tanto en su figura objetiva e histórica, como ideal y subjetiva: ni por la acción ni por el amor es posible recuperarla. Los griegos estuvieron demasiado cerca de los dioses:

---

[7] Dann scheint ihm oft das Beste,
Fast ganz vergessen da,
Wo der Strahl nicht brennt,
Im Schatten des Waldes
Am Bielersee in frischer Grüne zu sein,
Und sorglosarm an Tönen,
Anfängern gleich, bei Nachtigallen zu lernen.
   (vv. 159-165)

¿Quién fue el que primero
destruyó los lazos amorosos
y de ellos hizo sogas?
Entonces, de su propio derecho
y en verdad del fuego celestial
haciendo burla los obstinados, sólo entonces,
despreciando las sendas de los mortales
y eligiendo lo temerario,
a ser iguales a los dioses aspiraron[8].

Tanto atrevimiento merece castigo y, por tanto, a nadie
puede extrañar que los griegos fueran fulminados, pues los dioses, como dice el primer verso de la séptima estrofa, tienen suficiente con su propia inmortalidad *(«Es haben aber an eigner /
Unsterblichkeit die Götter genug...»)*. Su juicio es implacable:

... mas su castigo
es que quebrante su propia casa
y censure como a enemigo lo que más ama
y sepulte a su padre y a su hijo
bajo las ruinas: si alguien,
oh iluso, desea ser como ellos
y no soporta la desigualdad[9].

---

[8] Wer war es, der zuerst
Die Liebesbande verderbt
Und Stricke von ihnen gemacht hat?
Dann haben des eigenen Rechts
Und gewib des himmlische Feuers
Gespottet die Trotzigen, dann erst
Die sterblichen Pfade verachtend
Verwegnes erwählt
Und den Göttern gleich zu werden getrachtet.
(vv. 94-104)

[9] ...jedoch ihr Gericht
Ist, dab sein eigenes Haus
Zerbreche der und das Liebste
Wie den Feind schelt und sich Vater und Kind
Begrabe unter den Trümmern,

Pero nosotros podemos aprender de este destino trágico y, como Rousseau, rehuir la tentación prometeica y buscar un destino más a nuestra medida, no en el fuego celeste, sino, de nuevo como Rousseau, en la madre tierra, la naturaleza. En esta contraposición reside el antagonismo esencial entre la Antigüedad y la Modernidad. Sólo asumiendolo, asumiendo el profundo desgarro entre lo antiguo y lo moderno, será posible en alguna medida recuperar la semántica de la Antigüedad clásica, aunque sea –como sugieren los versos 180-181 de «El Rin»– bajo la forma mítica de las nupcias entre hombres y dioses. El proyecto, sin embargo, estaba destinado al fracaso[10].

A pesar de todas estas tensiones entre lo Griego y lo Hespérico, a pesar de su arraigada y coherente convicción, expresada por ejemplo en carta a Neuffer de 3 de julio de 1799, de que «en cuanto tratamos una materia que sea aún mínimamente un poco moderna, tenemos que abandonar las antiguas formas clásicas, las cuales están tan íntimamente adaptadas a su materia que no sirven para ninguna otra»[11], a pesar de todo ello, Hölderlin se siente profundamente fascinado por la Grecia Clásica. Está claro, a Hölderlin no le interesa la Antigüedad en sí misma (filológica o históricamente), ni tampoco como modelo a imitar, sino porque ve «algo» en ella. ¿Una íntima comunión con la Naturaleza? ¿un sentido de la belleza que impregnaba la totalidad de la realidad y de las acciones humanas? Podría ser, mas cualquier persona mínimamente versada (filológica o históricamente) en la Grecia Clásica sabe que allí no había ni tal comunión, ni mucho menos era todo tocado por el

Wenn einer, wie sie, sein will und nicht
Ungleiches dulden, der Schwärmer.
    (vv. 114-120)
[10] Cfr. J. M. Ripalda, *Fin del clasicismo*, en esp. cap. 1: «La época clásica», Madrid, Trotta, 1992.
[11] St.A., 6,1, 339 (n.º 183).

hálito de la belleza. Pero sería tan inútil como estúpido poner contraejemplos (que los hay, y muchos) que desmintieran la Grecia hölderliniana y mostraran, junto a momentos excelsos, paisajes de horror y locura. Pues lo que aquí está en juego es la invención de una Grecia asimilable por y para la sensibilidad desquiciada del poeta Hölderlin, una persona que por las mismas fechas en las que escribe la carta a Neuffer que acabo de citar tiene conciencia de que la naturaleza le ha deparado un destino: «aquello para lo que en principio nos destinó la naturaleza», «aquello para lo que la naturaleza parece haberme destinado»[12]. Pocos meses después, el 4 de Diciembre de 1799, ya lo tiene claro; confiesa al mismo Neuffer: «¡Si al menos un dios me diera el tiempo y la buena disposición necesaria para que pudiera ejecutar todo lo que veo y siento claramente!»[128]. ¿Qué papel juega Grecia en aquello que Hölderlin veía y sentía claramente? Por otra parte: se trata de ejecutar, de realizar. Si la poesía, como vimos páginas más arriba, crea mundos ¿cómo no iba a poder crear la Antigüedad Clásica? La invención de Grecia, de una Grecia, sigue siendo, pues, un acto de poetología transcendental.

En la última carta del primer volumen del *Hiperión*, la llamada *Athenerbrief*, Atenas es sobre todo una especie de ejemplo al hilo del cual se desarrolla un ideal evolutivo de la humanidad que culmina en la belleza; y la «esencia de la belleza» es definida por Hiperión como el *hen diaferon heauto* heracliteano, *«das Eine in sich selber unterschiedne»* («lo Uno en sí mismo dividido)», traduce Hölderlin. Esta afirmación de Hiperión se produce en el contexto de una discusión acerca de la relación entre filosofía y poesía; alguien ha preguntado, con extrañeza, qué tiene que ver la «fría excelsitud» de la filosofía con la poesía, e Hiperión ha respondido,

---

[12] A la madre, 8 de julio de 1799 (St.A. 6,1, 344, n.º 185).
[13] St.A. 6,1, 380 (n° 202).

sin vacilar, que la poesía es «el principio y el fin» de la filosofía, pues ésta viene de la poesía y va a parar a ella. Sobre el destino poético de la filosofía ya he hecho algunos comentarios en páginas anteriores, y quizá será oportuno, más adelante, hacer alguno más. Pero ahora me interesa más la cuestión del «principio», no la del «fin». La poesía es principio de la filosofía porque la poesía es ante todo belleza, y «el hombre que no haya sentido en sí al menos una vez en su vida la belleza en toda su plenitud (...) no llegará nunca a ser ni un filósofo escéptico; su espíritu no está hecho ni siquiera para la destrucción, así que menos aún para construir»[14]. Filosofía y poesía se dan la mano, como de hecho sucede en el mismo *Hiperión,* no en el sentido de que se trate de una novela filosófica, sino en el de que en ella filosofía y poesía aparecen, en efecto, como «lo uno en sí mismo dividido». La novela no explica filosófica y poéticamente el *hen diaferon heauto,* sino que ella misma es, en sí, plasmación de este lema heraclíteano. O lo que es lo mismo: el *Hiperión* es un texto enormemente bello, pero no en el sentido estético habitual de la palabra, sino en el sentido, por decirlo de algún modo, «onto-po(i)etico» que ya conocemos por las reflexiones poetológicas de Hölderlin.

La discusión sobre la relación entre filosofía y poesía tiene lugar, a su vez, dentro de una conversación más general acerca «de la excelencia del antiguo pueblo ateniense, de dónde provenía, en qué consistía»[15]. El antiguo pueblo ateniense era, pues, «excelente»: *Trefflichkeit* es la palabra que emplea Hölderlin. Pero no conviene olvidar que muy pocas líneas más arriba, comentado el fin de Demóstenes, el mismo Hiperión había dicho que «Atenas se había convertido en la ramera de Alejandro». Sin embargo, la discusión sobre Atenas no es sobre su decadencia (sobre cómo acabó prosti-

---

[14] *Hiperión,* pp. 115-116 (St.A., 3, 81).
[15] Idem, p. 111 (St.A., 3, 77).

tuyéndose un pueblo en su origen «excelente»), sino sobre la belleza; y no sobre la belleza de las producciones artísticas y culturales de Atenas, sino sobre esa realidad única pero bifronte que es Atenas y la belleza, como las dos caras de una misma moneda. Por esto no está justificada Diotima al quejarse de que Hiperión se desvía de la conversación principal, sobre Atenas, cuando habla de la belleza, la poesía y la filosofía; sucede más bien todo lo contrario, precisamente porque «sólo un griego podía encontrar la gran frase de Heráclito, que *hen diaferon heauto* (lo uno diferente en sí mismo), pues es la esencia de la belleza y antes de que se descubriera no había filosofía alguna». Lástima (aunque sólo sea por mor de la redondez del razonamiento) que Heráclito no fuera ateniense, sino de Efeso; pero no se trata de un reproche, ni mucho menos de una objeción, pues lo más probable es que Hölderlin conociera esta sentencia de Heráclito por el *Banquete* de Platón, que sí era de Atenas, pero de una Atenas, ¡ay!, que ya comenzaba a comportarse como una meretriz.

En cualquier caso: antes de que se descubriera la «esencia de la belleza» no había filosofía, sino un estado de niñez; había belleza, pero nada se sabía de ella. La gran fortuna de Atenas consistió en haber madurado al ritmo exacto, en haber hecho acopio de belleza durante su niñez, que luego, al llegar la madurez a su debido tiempo, pudo explotar y plasmarse en magníficas obras de arte e instituciones. Creo que lo que Hölderlin está intentando decir en estos pasajes del *Hiperión* se comprenderá mejor si se compara la gran suerte de Atenas con el desgraciado destino de otros pueblos. Frente a los espartanos: «Los lacedemonios rompieron demasiado pronto el orden del instinto, degeneraron demasiado pronto, y por eso tuvo que empezar con ellos también demasiado pronto la disciplina; pues cualquier disciplina y cualquier arte empieza demasiado pronto cuando la naturaleza del hombre no ha madurado bastante (...) Los espartanos quedaron para siempre como un fragmento; pues el que nunca fue totalmente un niño, difícil será que se convierta totalmente en un hombre»[16]. Frente a los egipcios: «El egipcio está sometido antes de ser un todo, y por eso no sabe nada del todo, nada de la belleza, y lo más elevado a lo que da nombre es una potencia velada, un enigma terrible; la muda y sombría Isis es para él lo primero y lo último, un vacío infinito del que no ha salido nunca nada razonable»[17]. Y, finalmente, frente a los hijos del norte: «En el norte hay que estar en posesión de la razón aun antes de que haya en uno un sentimiento maduro; se siente uno responsable de todo aun antes de que la inocencia haya llegado a su hermoso final; hay que ser razonable; hay que convertirse en un espíritu autoconsciente antes de ser hombre, en una persona inteligente antes de ser niño; no llega a florecer y madurar la unidad del hombre total, la belleza, antes de que él se forme y desarrolle»[18].

Los atenienses, por el contrario, vivieron el tiempo suficiente (en) la unidad de la belleza, y por esto, cuando la belleza una se desgajó en sus dos hijos, el arte y la religión, siguió sin embargo siendo una: «lo uno en sí mismo dividido», que sostiene la fórmula heracliteana. Pues la belleza es la unidad de lo diferente y dividido, o, dicho con palabras empedocleanas, es el entremezclamiento, el punto de encuentro, entre la finitud humana y la infinitud de lo divino (*sive* naturaleza). Ahora bien, como señala Hiperión[19], en un momento dado el hombre «quiere sentirse a sí mismo», y por eso coloca enfrente suyo ese entremezclamiento, ese punto de encuentro, bajo la forma de obras de arte; esto es, el hombre coloca frente a sí al dios experimen-

[16] Idem, p. 112 (St.A., 3, 78).
[17] Idem, p. 117 (St.A., 3, 82).
[18] Idem, p. 117 (St.A., 3, 82-83).
[19] Idem, p. 113 (St.A., 3, 79).

tado, por así decirlo, infantilmente, y entonces el «dios en nosotros» se manifiesta bajo la forma del arte. Así sucedió entre los griegos, en el momento en el que su «vía excéntrica» alcanzó el punto de máximo esplendor: con la tragedia, que (no lo olvidemos) es entendida por Hölderlin como acontecimiento divino.

De aquí que no pueda extrañar que el segundo hijo de la belleza sea la religión, que es «amor de la belleza»[20], entendiendo este «de» en un sentido tanto objetivo como subjetivo. En el sentido del genitivo objetivo es la forma en la que la belleza es captada por los sentidos, en el del genitivo subjetivo es la fuerza que parte de la belleza y que produce la relación entre el hombre y el «dios en nosotros» puesto ahora fuera de él[21]. Concluye Hiperión: «Que realmente éste fue el caso entre los griegos, y especialmente entre los atenienses, que su arte y su religión son los auténticos hijos de la belleza eterna –de la naturaleza humana realizada– y sólo podían proceder de la naturaleza humana realizada, se muestra claramente sólo con querer ver con mirada imparcial los objetos de su arte sagrado y la religión con la que amaban y honraban aquellos objetos». Lo cual quiere decir que como Hölderlin, en un acto poético performativo y transcendental, puede mirar el arte y la religión con mirada imparcial, por esto, necesariamente se le aparecen aquél y ésta como «los auténticos hijos de la belleza eterna». Pues hay casos, ya lo sabemos, para los que la mirada filosófica es ciega: la filosofía sólo ve en la medida en que se hermana con la poesía.

Hasta cierto punto se trata de un tema muy común en la filosofía de la época: que el sujeto, para reconocerse a sí

[20] Idem, p. 114 (St.A., 3, 79).
[21] Cfr. G. Martens, «Das Eine in sich selber unterschiedne. Das 'Wesen der Schönheit als Strukturgesetz in Hölderlins *Hyperion*», en U. Beyer, *op. cit.*, p. 118.

mismo, necesita verse en un otro; piénsese, por ejemplo, en la fichteana «posición del Yo y del no-Yo». Pero por el camino de la filosofía se pierde aquello que Hölderlin más deseaba guardar, la unidad originaria en medio de toda escisión y toda objetivación. Y a este respecto, como dice en la carta a Niethammer del 24 de febrero de 1796[22], es necesario «sentido estético», ese sentido que Hölderlin no encuentra en la filosofía de su época, pero sí en «lo uno en sí mismo dividido» heracliteano.

---

[22] St.A., 6,1, 203 (nº 117).

VII

Sobre el tiempo

Sin lugar a dudas, el *Hiperión* supone un momento de calma y equilibrio en la producción de Hölderlin. Pero se trata de un equilibrio que pronto se quiebra. En parte porque Hölderlin se siente cada vez más alejado de las preocupaciones filosóficas, a las que ya me he referido y que en gran medida articulaban la novela. En parte, también, por ese sentimiento cada vez más agudamente doloroso de la realidad, que también mencionaba cuando comentaba algunos aspectos del *Empédocles*.

En íntima relación con esta última cuestión, Hölderlin modifica también su concepción del tiempo, en una dirección que hace imposible el equilibrio logrado en el *Hiperión*. Pues aunque en la novela y en las otras obras de esta misma época el tiempo es el elemento de la absoluta separación, del una vez y nunca más de nuevo, este «nunca más de nuevo» termina siempre apareciendo como lo inicial, como lo bello y armónico que supera toda oposición y toda escisión[1]. En este sentido, la absoluta separación que introducen el tiempo y la historia debe ser vista más bien como condición de posibilidad de un retorno no real, pero al me-

---

[1] Cfr. W. Hof, «Zur Frage einer späten "Wendung" oder "Umkehr" Hölderlins», en *Hölderlin Jahrbuch*, 1958/60, p. 123.

nos poéticamente posible. Una especie de tiempo circular. Pero ¿por qué tiene que haber tiempo? ¿por qué tiene que haber historia? Dicho de otra manera, ¿por qué tiene que dividirse el «*Seyn schlechthin*»? Hölderlin lo explica en «Sobre la distinción de los géneros poéticos» al hablar del poema trágico, lo cual no puede extrañar, pues la tragedia –ya lo he indicado– es expresión de esta escisión.

El «*Seyn schlechthin*», que en este ensayo es dicho como «lo originariamente uno» *(das Ursprünglich einige)*, tiene una estructura dinámica y teleológica, de suerte que aspira a reconocerse y sentirse en cada una de sus partes, y así –como sucede en la tragedia– se ve envuelto en la dialéctica entre el «ser-uno» y el «ser-escindido». Las partes de lo originariamente Uno no pueden guardar siempre la misma relación entre sí, ya se trate de una relación de proximidad o de lejanía; Hölderlin no justifica esta afirmación explicando su «por qué», lo cual sería una forma inadmisiblemente filosófica de plantear la cuestión, sino inventando un mítico «para qué» *(damit...)*. Los interrogantes iniciales, por tanto, estaban mal planteados, pues no se puede preguntar por qué tiene que haber tiempo e historia o por qué tiene que dividirse el «*Seyn schlechthin*», sino para qué suceden todas estas cosas; y Hölderlin responde: «...para que todo haga frente a todo, y para cada parte resulte su entero derecho, su entera medida de vida, y cada parte sea, en el proceso, igual al todo en complejidad y, por el contrario, sea en el proceso el todo igual a las partes en determinatez, aquél gane en contenido, éstas en intimidad, aquél en vida, éstas en vivacidad, aquél en el proceso se sienta a sí mismo más, éstas en el proceso se cumplan más»[2]. Por esto, más exactamente: para esto, ya no vale la concepción cíclica del tiempo, en la que lo futuro se piensa regresivamente como repetición de

[2] «Sobre la distinción de los géneros poéticos», p. 81 (St.A., 4,1, 268).

lo ya sido, lo cual, como ya advertía, hizo el mismo Hölderlin en el *Hiperión* y en algunos de sus poemas anteriores a 1799/1800. Como ejemplo cito uno, particularmente bello, titulado «A su Genio»:

> ¡Envíale flores y frutos de plenitud que no se agota!
> ¡Derrama sobre ella, espíritu amigo, eterna juventud!
> Arrópala de tus delicias y no permitas que vea el tiempo
> donde ella, la ateniense, vive solitaria y extranjera,
> hasta que en el país de los bienaventurados abrace a sus
> felices hermanas,
> que amaron y dominaron en los tiempos de Fidias[3].

Pero esta concepción del tiempo ya no sirve si lo que está en juego es la concepción del tiempo y la historia (al igual que sucede en la tragedia) como acontecimiento divino *(Gottgeschehen)*.

Por otra parte, la clara conciencia de pérdida que va dominando progresivamente las diferentes versiones del *Empédocles* (y que, como ya he señalado más arriba, hace imposible conceptualmente la redacción de la tragedia) pone de manifiesto que quizá la imagen más adecuada para aprehender el tiempo y la historia no sea la del círculo, sino la de la espiral, que mantiene una relación de tensión entre el momento inicial y un futuro aún sin determinar, pero que mira al pasado y desde aquí se lanza a nuevas posibilidades. Mas Hölderlin se da cuenta de que la realidad es inevitablemente escisión que no autoriza reconciliación alguna en su seno, aunque sí fuera de él, es decir, fuera del tiempo y de la historia. Por eso se ve obligado, en sus últimos grandes

---

[3] Send ihr Blumen und Frücht aus nieversiegender Fülle
Send ihr, freundlicher Geist, ewige Jugend herab!
Hüll in deine Wonnen sie ein und lab sie die Zeit nicht
Sehn, wo einsam und fremd sie, die Athenerin, lebt,
Bis sie im Lande der Seligen einst die fröhlichen Schwestern,
Die zu Phidias' Zeit herrschten und liebten, umfängt.

himnos de los años 1802 y 1803, a pensar esas nuevas posibilidades desde una perspectiva profética y escatológica. La espiral se tensa y se convierte en línea cuyo extremo final lo es en sentido estricto; el instante, en definitiva, del acabamiento de los tiempos y de la historia, que la teología cristiana gusta identificar con la segunda venida de Cristo. Hölderlin, ya lo he insinuado en algún momento, cree realmente en los dioses: en Jesús, en Dioniso, en Hércules...

Joachim Schmidt[4] ha explicado bellamente esta transformación en la concepción hölderliniana del tiempo sirviéndose de una comparación entre «El Rin» y «Fiesta de paz». Ambos poemas tratan de una «fiesta», más exactamente, de un acontecimiento de acabamiento que es visto como festivo; para expresar este acontecimiento Hölderlin se sirve, también en ambos poemas, de la imagen del regreso de los dioses. Pero mientras que en «Fiesta de paz» la fiesta señala el acabamiento de los tiempos y, en consecuencia, de la historia, en «El Rin» este acontecimiento dura sólo «un instante» (v. 180): un momento de *Trefflichkeit* (por decirlo con la palabra que Hiperión aplica al antiguo pueblo ateniense) entre dos zonas de oscuridad; pero, en esta misma medida, aún sometido al tiempo y, por tanto, histórico en sentido estricto. Prestemos atención a la estructura de «El Rin» y completemos la interpretación del poema que había iniciado unas páginas más arriba. En un primer momento la corriente del río, que es en sentido estricto un semidiós (v. 34) discurre fuerte e impetuosa:

> Por eso es jubilosa su palabra
> (...)
> ... y si en su presura

⁴ Cfr. *Hölderlins geschichtsphilosophische Hymnen*, Darmstadt, Wissenschaftliche Buchgesellschaft, 1990; en especial la «Einleitung»: «Vom zyklischen zum eschatologischen Geschichtsdenken».

un poder más fuerte no lo amansa
y deja que crezca, entonces, como el rayo,
hendiría la tierra y hechizados
huirían los bosques de él
y las montañas se sumergirían[5].

Hasta cierto punto, pues, un momento de pura negatividad, pero que encierra en sí la energía creadora de todo momento inicial; el momento de la infancia al que se refiere la *Äthenerbrief.* Con lenguaje filosófico: el instante mágico y salvaje que precede a toda escisión. Los últimos versos de la siguiente estrofa ya introducen un momento de calma y de reposo, de esa rara positividad que es la civilización:

Y es bello como él, después,
tras abandonar las montañas,
sosegadamente se satisface en las tierras alemanas
y acalla sus ansias en buenos quehaceres,
cuando él, padre Rin, cultiva las tierras
y alimenta sus amados hijos,
en ciudadades por él fundadas[6].

[5] Drum ist ein Jauchzen sein Wort
(...)
... und wenn in der Eil
Ein Gröberer ihn nicht zähmt,
Ihn wachsen läbt, wie der Blitz, mub er
Die Erde spalten, und wie Bezauberte fliehn
Die Wälder ihm nach und zusammensinkend die Berge»
(vv. 61-75)
[6] Und schön ist's, wie er drauf,
Nachdem er die Berge verlassen,
Stillwandelnd sich im deutschen Lande
Begnüget und das Sehnen stillt
Im gutem Geschäfte, wenn er das Land baut,
Der Vater Rhein, und liebe Kinder nährt
In Städten, die er gegründet».
(vv. 83-89)

A continuación vienen los versos en los que se menciona a Rouseau, que ya he comentado más arriba, y sólo al comienzo de la estrofa novena aparece el tema de las nupcias entre hombres y dioses:

Celebran entonces nupcias hombres y dioses
las celebran los vivientes todos[7].

Pero los últimos versos de esta misma estrofa ya advierten que se trata de un momento fugaz: es inevitable que decline la luz amiga y venga la noche. Esto es, es inevitable que el proceso histórico -pues se trata de un proceso histórico- siga su curso. Puede ir más lento o más rápido:

Mas todo ello pasa rápido
para algunos, otros más tiempo
lo conservan[8].

Y puede también que el hombre, estoicamente, intente retirarse de él acudiendo al recuerdo de un tiempo pasado:

Pero el hombre puede también
guardar lo mejor en la memoria:
experimenta entonces lo más elevado[9].

Pero el siguiente verso ya advierte:

Cada cual tiene su medida[10].

---

[7] Dann feiern das Brautfest Menschen und Götter
Es feiern die Lebenden all.
(vv. 180-181)
[8] Doch einigen eilt
Dies schnell vorüber, andere
Behalten es länger.
(vv.195-197)
[9] Kann aber ein Mensch auch
Im Gedächtnis doch das Beste behalten,
Und dann erlebt er das Höchste
(vv. 200-202)
[10] Nur hat ein jeder sein Mab
(v. 203)

Aunque el hombre (de alguna manera misteriosa, que el poema no aclara) pueda sustraerse del devenir histórico y situar su conciencia por encima de la temporalidad, esto no quita para que el final (y es también el último verso del poema) «regrese el extravío primigenio» (*«...und wiederkehrt / Uralte Verwirrung»*).

Pero al plantear las cosas de este modo Hölderlin sitúa a la conciencia fuera del devenir histórico, y por esto puede ella conceptuarlo, por así decirlo, desde fuera, como proceso que se desarrolla en los tres momentos citados: del extravío al extravío pasando por un momento de calma, plenitud y equilibrio. El momento, justamente, que Hiperión buscaba en la amistad, el amor o en la acción; el momento que las primeras versiones del *Empédocles* sólo sabían situar en la muerte, y que en las últimas ha desaparecido ya. Pues si el Hiperión y el Empédocles de las primeras versiones se saben siendo algo al margen o por encima de su tiempo histórico, el Empédocles último, urgido por la presión de una realidad que se le impone, comienza a desfallecer de la conciencia de sí.

«Fiesta de paz» ofrece una pauta para intentar poner un poco de luz retrospectiva sobre todas estas cuestiones a las que me he venido refiriendo. Pues si en el poema «El Rin», en el *Hiperión* y en las primeras versiones del *Empédocles,* la conciencia puede extrapolarse del curso histórico que la ha formado, en «Fiesta de paz», como habrá que ver con detalle algo más adelante, el proceso de la conciencia aparece integrado en la misma historia, pues ésta misma se concibe ahora como un proceso de espiritualización, que justamente tiene que transcurrir de una forma lineal y escatológica: al final de los tiempos (o lo que es lo mismo: cuando culmine este proceso de espiritualización) lo que se manifestará será aquéllo que, por otra parte, ya estaba actuando a lo largo y en el interior del proceso histórico: el mismo Espíritu, esto es, el Absoluto[11]. En

---

[11] Cfr. J. Schmidt, *op. cit.* p. 3.

estos momentos Hölderlin aún puede creer que es posible la recuperación de la semántica de la Antigüedad clásica, si bien la reconciliación acaecerá escatológicamente al final de los tiempos.

Es cierto que también data de estas mismas fechas el modelo revolucionario de las «Notas a Antígona», donde Creonte representa el momento, inevitable, en el que esa rara positividad que es la civilización ha degenerado ya en formas petrificadas e inhumanas, y que *sponte sua* provoca la reacción de Antígona como transformación radical en la pura negatividad. Es igualmente cierto, como ya he recordado más arriba, que Hölderlin se refiere en este texto a una «vuelta de todos los modos de representación y formas», donde vuelta, *Umkehr,* es la palabra alemana para *Revolution*[12]. Por tanto: no un proceso lineal de toma de conciencia y que culmina, escatológicamente, en esa llegada de los dioses, que supone, a su vez, el acabamiento de los tiempos (pues nadie en su sano juicio puede dudar que todo resulta trivial ante la presencia real y efectiva de la divinidad), sino la ruptura absoluta y total, revolucionaria en sentido estricto, de una positividad ya degenerada. Todo esto es cierto, pero es que *Antígona* es una tragedia. No se trata, pues, de la afirmación optimista de los procesos revolucionarios; algo, por otra parte, inaudito en un Hölderlin totalmente desencantado no del espíritu, pero sí de los excesos de la Revolución Francesa. Se trata, más bien, de la clara conciencia –en la línea ya apuntada en las sucesivas versiones del *Empédocles*– de la inevitabilidad de lo real. La tragedia, pues, tiene dos caras: por un lado, es acontecimiento divino, manifestación en sentido estricto y no figurado de la divinidad; pero, por otro lado, es también acontecimiento de muerte y destrucción. No hay salida real, pero Hölderlin

---

[12] Cfr. J. Schmidt, «Hölderlins Entwurf der Zukunft», en *Hölderlin Jahrbuch*, 1969/70.

pensó en algún momento de su vida que sí la había poética, lo cual –después de las consideraciones realizadas acerca de la poetología transcendental de Hölderlin– no puede entenderse como fácil y cómodo escapismo, sino como la invención de lo que, en realidad, no existe. Pues los dioses no existen en la realidad, sino sólo dentro del contexto de la lógica poética que Hölderlin ha ido desarrollando. Y precisamente por esto no son ficciones, al igual que tampoco lo son los mitos, sino exigencias de una nueva forma de pensar, que obliga a reescribir el curso de lo real, pues sólo así –insisto, poéticamente– cabe que la reconciliación final soñada por Hölderlin sea algo más que un pío deseo: que sea, en definitiva, «verdad» (como la llegada de los dioses).

En este contexto de invención y reescritura poética del curso del devenir histórico cobran sentido los dos modelos temporales elaborados por Hölderlin, pues en el mundo antiguo rige el modelo cíclico-revolucionario, mientras que la llegada de Cristo supone la inauguración de una nueva era, caracterizada por una comprensión lineal-escatológica del tiempo. Lo que cambia no es sólo la concepción del tiempo, sino su misma cualidad: ya no se trata de un movimiento circular, sino del movimiento lineal y autoconsciente de «lo uno en sí mismo dividido».

En el ensayo «El devenir en el perecer» Hölderlin explica este tránsito *(Umkehr* es la palabra que emplea y, ciertamente, no podía emplear otra) sirviéndose de las categorías modales de realidad, posibilidad y necesidad[13]. El *«Seyn schlechthin»* de «Juicio y Ser» es aprehendido en este texto (antes de toda escisión) como el «mundo de todos los mundos», que es siempre y se presenta en todo tiempo[14]. Ahora bien, este «mundo de todos los mundos» se escinde, siguiendo la lógica de «lo uno en sí mismo dividido», en dife-

---

[13] Cfr. U. Beyer, *Mythologie und...*, p. 36.
[14] «El devenir en el perecer», p. 97 (St.A., 4,1, 282).

rentes mundos, cada uno de los cuales caracterizado por una determinada relación de lo real y de lo posible en él. El tránsito de un mundo a otro (que, no lo olvidemos, es el tránsito cualitativo de un tiempo a otro) es descrito como «la vuelta» de las relaciones existentes en un mundo dado entre lo real y lo posible en él: «Pero lo *posible,* que entra en la *realidad efectiva* en tanto que *realidad efectiva se disuelve,* lo posible actúa, y efectúa tanto la sensación de la disolución como el recuerdo de lo disuelto (...). La nueva vida es ahora efectivamente real; lo que debía disolverse, y se ha disuelto, es ahora posible (idealmente *antiguo),* la disolución es ahora necesaria y porta su carácter peculiar entre ser y no-ser. Ahora bien, en el estado entre ser y no-ser, por todas partes lo posible se hace real, y lo efectivamente real se hace ideal»[15].

Así pues, el tránsito se consuma mediante una fluctuación entre lo fácticamente real y lo realmente posible, es decir, lo fácticamente real de un mundo se convierte en lo realmente posible de otro mundo, y lo realmente posible deviene en realidad fáctica. Sigue siendo, por tanto, el mismo «mundo de todos los mundos», pero modificado modalmente en cada caso concreto, en cada mundo, su ser-siempre y su presencia en todo tiempo. Esta fluctuación que afecta recíprocamente a las modalidades puede ser entendida como «acontecimiento ontológico», por decirlo con terminología heideggeriana[16], aunque realmente Hölderlin sólo habla de un «acto creador (transcendental)», cuyo producto es un «estado mítico»[17].

Hay, por tanto, tres momentos implicados en este proceso: de disolución de un mundo real, de inauguración de

---

[15] Idem, p. 98 (St.A., 4,1, 283).

[16] Cfr. U. Beyer, «Mythologie der Vernunft. Hölderlins ontologische Begründung einer Hermeneutik der Geschichte», en U. Beyer (ed.), *op. cit.,* pp. 59 y ss.

[17] Idem, p. 101 (St.A., 4,1, 286).

otro nuevo y de anticipación discursiva de un mundo real que ha de venir, un mundo en estos momentos sólo ideal, no realmente, nuevo. Ahora bien, ¿quién disolvió el mundo de la antigüedad griega? ¿quién inauguró el mundo de la historia occidental? ¿quién anticipó discursivamente su propia parusía y, con ello, la realidad de lo que ahora es posibilidad, pero posibilidad que se ha de consumar necesariamente? Sólo hay una respuesta: Cristo. Por esto su llegada (y, más aún, su muerte) inaugura un nuevo tiempo cualitativamente diferente del anterior. Por la misma razón Hölderlin, que se sitúa al final de segundo momento y en el umbral del tercero, aún está preso de la historicidad y de la temporalidad y sólo de manera aproximada puede saber del tercer momento, que sólo será plenamente conocido cuando se esté en él, o lo que es lo mismo, cuando llegue el fin de los tiempos y el acabamiento de la historia.

Pero Hölderlin, quizá de una manera incompleta e intuitiva, ya sabe: parece que el proceso histórico se realiza anticipatoriamente en la conciencia del poeta. Por eso él (y sólo él) es capaz de tener conciencia histórica, o lo que es lo mismo, el poeta se convierte en auténtico y verdadero profeta, que tiene encomendada la misión histórica de anunciar la llegada de los tiempos dorados. Pero el anuncio, en la medida en que dispone y prepara a los hombres para el acontecimiento anunciado, es parte integrante de la efectiva realización de lo que ha de venir. Una posición ésta que, sin embargo, plantea serios problemas de los que tendré que ocuparme más adelante. Pero de momento, y aunque sea sólo de forma provisional, quizá no sea del todo arriesgado señalar que para Hölderlin, al menos en algún momento de su vida creativa, el carácter performativo de la poesía tiene también una dimensión práctica e histórica; una dimensión oculta, pero que se hace patente tan pronto como se sitúa la obra de estos años bajo la perspectiva escatológica característica del quialismo.

109

VIII

Esperanzas escatológicas

El mismo Kant había hablado en *Ideas para una historia universal en sentido cosmopolita* de un quialismo filosófico que aguarda el estado de una paz eterna. La misma idea, también en su versión secularizada, puede encontrarse en el escrito de Lessing *La educación del género humano.* Hölderlin conocía con seguridad estas dos obras. Tampoco le era ajena la versión más teológica del quialismo, pues procedía de la tradición del pietismo suavo, cuyo máximo representante, Johann Albrecht Bengel (preceptor de la *Klosterschule* de Denkendorf, a la que asistió el joven Hölderlin), le había dado un acento fuertemente quialístico. Bengel es autor de un comentario a la Biblia –que poseía Hölderlin[1]– y de un extenso comentario al *Apocalipsis*: desde la perspectiva del fin de los tiempos anunciada en este libro la historia aparece y se ordena como un plan de salvación introducido por Dios y que apunta al momento de la consumación de los tiempos. De esta forma, señala Joachim Schmidt[2], el punto de vista escatológico conduce a un pensamiento histórico de rigurosas consecuencias, pues si el mismo Dios ha concebido la historia como el espacio para la realización de

[1] Cfr. St.A., 7,3, 390.
[2] *Hölderlins geschichts...*, p. 89.

111

la salvación, que implica la misma venida de Dios a la tierra, entonces el curso de la historia debe concebirse –en estricta lógica apocalíptica– como autorrealización planificada de la divinidad[3].

En el quialismo de Bengel la divinidad sigue siendo una instancia ajena a la naturaleza y a la historia, lo que ya no es exactamente el caso en Friedrich Christoph Oetinger, discípulo del anterior y (dato curioso y significativo) estricto contemporáneo de Rousseau. Para Oetinger, la divinidad y sus criaturas tienen idéntica estructura, con la única diferencia de que aquélla no puede comunicar a éstas la indisolubilidad de las fuerzas; por esto son finitas y también por esto están sometidas a la posibilidad del pecado. Lo mismo sucede con la naturaleza, que, al igual que el hombre (en un perfecto paralelismo microcosmos/macrocosmos), está también sometida a ese plan divino que consiste en que tanto hombre como naturaleza alcancen su mayor desarrollo posible. Expresado de forma negativa: hombre y naturaleza están necesitados de redención, uno y otra están separados de la satisfacción de su ser más auténtico. Sin embargo, Oetinger cree que dios culminará su obra salvífica de redención y que sólo entonces la creación estará completa y será perfecta. Así pues, la redención no es sólo espiritual, ni sólo individual, ni sólo de los hombres; Cristo es el redentor de la naturaleza, de todas las criaturas, de los hombres y de las relaciones de los hombres con la naturaleza y las criaturas. Cuando este plan esté cumplido acaecerá la consumación de los tiempos. Y este plan, que es desarrollo de la naturaleza y de los hombres, maduración hasta el estado de consu-

---

[3] Sobre Bengel cfr. tb. J. Chr. Burk, *D. Johann Albrecht Bengel's Leben und Wirken, meist nach handschriftlichen Materialen bearbeitet*, Stuttgart, 1831; tb. H.-J. Mähl, *Die Idee des goldenen Zeitalters im Werk Novalis: Studien zur Wesensbestimmung der frühromantischen Utopie und zu ihren ideengeschichtlichen Voraussetzungen*, Heidelberg, 1965.

mación, es voluntad divina: no su resultado, sino, insisto, ella misma. De esta forma, en el quialismo de Oetinger Dios produce la salvación esencialmente por medio de la naturaleza, pues en ella misma habita el proceso que conduce a la consumación de los tiempos, de suerte que con sólo que la naturaleza pueda desarrollarse, producirá desde sí misma el momento de la madurez[4]. El paso está perfectamente iniciado y sólo cabe completarlo: o bien en la dirección de una completa y total secularización, como, por ejemplo, hicieron Lessing o Kant en los textos citados; o bien, como es el caso en Hölderlin, en la dirección de una «teologización» de la naturaleza y la historia, donde no es la divinidad (sea en alguna de sus formas más tradicionales, sea en alguna de sus figuras más o menos secularizadas) la que guía y naturaliza el proceso histórico, sino que es el mismo proceso natural el que, al final de los tiempos y la historia, produce la divinidad como tal, superadora y reconciliadora de sus diversas manifestaciones históricas. Podemos retomar ahora la interpretación de «Fiesta de paz».

«Fiesta de paz» caracteriza el final de los tiempos y de la historia como el momento de una paz escatológica que señala el momento de la máxima y total reconciliación. La idea general del poema es que la historia es obra de la divinidad y que, en consecuencia, la paz final también es producto suyo; y el problema que plantea es el de saber cuál es el sentido de la historia, o más exactamente, el del sentido que el poema da a la historia: ¿cómo reconstruye el poema la historia de suerte que ésta tenga sentido? Desde la perspectiva quialística de Hölderlin sólo cabe la respuesta que da el poema, la afirmación de la identidad entre el dios inmanente a la historia y el dios que está más allá de la temporalidad. Pero sólo al final de los tiempos (en el «ahora» en

---

[4] Cfr. R. Piepmeier, «Oetinger», en *Theologische Realenzyklopädie*, bd. XXV, Berlin, Walter de Gruyter, 1995, pp. 106-107.

el que anticipativamente sucede el poema, o mejor, en el «ahora» que canta el poema) será reconocible esta identidad. La paz que se canta en el poema es justo eso, celebración de esa identidad que finalmente, en sentido escatológicamente estricto, se ha alcanzado.

Dada esta multiplicidad de motivos que se entrelazan unos con otros tampoco puede extrañar que el dios sea nombrado de muy diversas maneras. Por esto no tiene excesivo sentido la cuestión, ampliamente debatida en la bibliografía hölderliniana, de quién es el «Príncipe de la fiesta» *(Fürst des Fest)*, del verso 15. Ha habido respuestas para todos los gustos: Napoleón, «el genio de nuestro pueblo» que también aparece en el verso 25 de «A los alemanes», Cristo en su segunda venida al mundo (junto a o separadamente de sus hermanos Hércules y Dioniso), el Espíritu del Mundo, el dios de la paz, etc. En realidad, no se puede saber muy bien de qué divinidad se trata, pues es aún desconocida o, más exactamente, se trata de una divinidad que sólo ahora (insisto: en el ahora del poema) comienza a anunciarse: por esto no puede ser dicha con ningún nombre concreto[5], lo cual no es ni defecto, ni incapacidad del poeta, sino un signo de su naturaleza absolutamente incomparable, pues incomparable es el acontecimiento que, frente a todas las manifestaciones habidas hasta la fecha de la divinidad, está en la raíz del «de la infidelidad divina que todo lo olvida», como dice el mismo Hölderlin en sus «Notas a Edipo»[6]; el acontecimiento, y cito ahora las «Notas a Antígona», que hace que tenga lugar una «vuelta de todos los modos de representación y formas». Por esto, el dios, la divinidad suprema, no es sólo «Padre» (en tanto que está al

[5] Cfr. D. Lüders, *Friedrich Hölderlin. Sämtliche Gedichte*, herausgegeben und kommentiert von..., bd. 2. Bad Homburg, Athenäum Verlag, 1970, p. 312.

[6] P. 142 (St.A, 5, 202)

principio de la historia), ni sólo «Espíritu del Mundo» (en tanto que está al final de los tiempos), pues su presencia no se limita a los extremos temporales, sino que actúa en la historia y en la naturaleza. De esta forma, en tanto que poder que se da en la historia (que es, en el sentido indicado, la historia) es nombrado «el tronante» (v. 71) o también «Señor del tiempo» (v. 79); en tanto que principio infinito que todo lo penetra puede también recibir el nombre de «el siempre-viviente» (v. 71). Y así sucesivamente, pues siendo el dios supremo coextensivo y cosucesivo con cada una de sus manifestaciones puede recibir todos y cada uno de los nombres, en función de bajo qué aspecto se lo considere.

Los primeros versos de «Fiesta de paz» describen el lugar en el que tendrá lugar la fiesta y donde ya está todo preparado, pues se aguarda la llegada de los invitados. En la segunda estrofa de esta primera triada el poeta va ganando poco a poco la visión de una figura a la que denomina «príncipe de la fiesta», y que llega de lejos, como los invitados que se mencionan en la primera estrofa. Sin embargo, a partir del verso 16 se le empieza a nombrar con la segunda persona singular, «tu», señal de su presencia en acto. Pero a pesar de ello, y por las razones ya señaladas, el poeta sólo puede decir de él que no es mortal (v. 21) y que es un dios que produce una claridad distinta y más allá del saber humano, más allá, por tanto, de la claridad que pueden producir los mortales, aunque sean «sabios», y su filosofía:

> Un sabio puede iluminarme,
> pero donde aparece un dios
> allí surge otra claridad[7].

---

[7] Ein Weiser mag mir manches erhellen
wo aber Ein Gott noch auch erscheint,
Da ist doch andere Klarheit.
    (vv. 22-24)

«Claridad», pues, no en el sentido del saber filosófico-discursivo, sino en el de una «manifestación» o «iluminación» súbita y repentina.

La tercera estrofa nos informa de que el «Príncipe de la fiesta» viene de lejos, tanto espacial como temporalmente. Sin embargo, a pesar de su lejanía, a pesar de que permanezca desconocido en lo más íntimo de su ser *(«Da Herrschaft nirgend ist zu sehn bei Geistern und Menschen»)*, algo se sabía de él, pues muchos indicios lo anunciaban; estaba presente en los horrores y desviaciones de la historia y también está presente ahora, en la fiesta de la paz. La aparente contradicción se soluciona tan pronto como nos enteramos de que todo lo que ha sucedido era su obra y era, además, preparación para otra cosa, para la fiesta de la paz que se celebra ahora, insisto una vez más: en el «ahora» del poema. Una obra, por cierto, larguísima: *«von Morgen nach Abend»,* desde el principio hasta el final de los tiempos; y también con sentido espacial: de oriente a occidente, pues éste ha sido, de acuerdo con Hölderlin[8], el curso que ha seguido la historia: Oriente, Grecia, Italia, para finalizar en los Alpes hespéricos. Conviene tener presente que la aparente contradicción que ponen de manifiesto estos versos es la aparente contradicción de propia historia y, consiguientemente, que la disolución poética de la contradicción es también y al mismo tiempo la disolución de las contradicciones de la historia: sólo la perspectiva escatológica disuelve las contradicciones de la historia, las convierte, en efecto, en contradicciones aparentes (acontecimiento éste que, obviamente, merece ser celebrado con una fiesta).

Los versos iniciales de la segunda triada comienzan con el deseo del poeta de invitar a la fiesta a muchas de las figuras semidivinas que han actuado a lo largo de la historia *(«Und manchen möchte ich laden...»)*, pero especialmente a Cristo, que tuvo un final horrendo, mas no en vano:

[8] Cfr., por ejemplo, «Germanien».

116

¡Ay! En medio de la palabra te envuelve la sombra,
aún más oscura, de la fatalidad mortal.
Así de rápidamente perecedero es lo celestial;
mas no en vano[9].

¿Qué sentido tiene este destino? Lo sabemos por la siguiente estrofa, que es la quinta del poema y la segunda de la segunda triada: hace falta largo tiempo para que los hombres aprendan a apreciar el regalo que les hizo la divinidad suprema:

> Nunca surge de inmediato el agradecimiento por el
> > regalo divino;
> difícil es apreciarlo[10].

Este tiempo, el mismo en el que la divinidad suprema estaba presente en los horrores y desviaciones, es el tiempo en el que dominan «los salvajes». Pero incluso en estos tiempos de miseria Él no ha estado totalmente oculto, al contrario: se ha mostrado en las fuerzas y elementos de la naturaleza, que, de este modo, son también «obsequios de la divinidad», y así, el contacto con este otro regalo de la divinidad nos acerca al «simpre-viviente». La segunda triada finaliza con la afirmación de que «el Padre», «ahora» (un «nun» enfáticamente repetido), ha descendido a los hombres para celebrar la fiesta de la reconciliación final:

> Y ahora lo reconocemos, y
> ahora, que conocemos al Padre,
> y celebramos días de fiesta,
> agradeciendo al elevado,

[9] Ach! aber dunkler umschattete, mitten in Wort, dich
  Furchtbarentscheidend ein tödlich Verhägnis. So ist schnell
  Vergänglich alles Himmlische; aber umsonst nicht.
  (vv. 49-51)
[10] Nie folgt der gleich hernach dem gottgegbene Geschenke;
  Tiefprüfend ist es zu fassen.
  (vv. 59-60)

al espíritu del mundo,
que a los hombres haya descendido[11].

Por esto puede satisfacerse el deseo de invitar a las figuras semidivinas que han obrado a la largo de la historia (y muy particularmente a Cristo), porque el «Príncipe de la fiesta» se ha mostrado finalmente (en las figuras de sus hijos), o lo que es lo mismo, porque ha llegado el fin de los tiempos.

Los versos iniciales de la tercera triada intentan determinar la relación de la divinidad suprema con el tiempo y con la historia; se trata, como ya he indicado, de su campo de actividad. Pero el dios supremo es más que esto, es demasiado grande para ser sólo «Señor del tiempo», pues a él únicamente le conviene la eternidad y no sólo esa parte parcial de ella que es la temporalidad histórica. Entonces, ¿qué sentido tiene que él (que es Ser absoluto y eterno) se haya dado en la historia (que es devenir parcial y determinado? Que el hombre y dios entren en contacto, que mediante el lenguaje el dios supremo pueda ser dicho. Pero en los tiempos históricos, que ahora tocan a su fin, el lenguaje era lenguaje de enfrentamiento en búsqueda de «lo mejor» (*das Beste)*:

> Es ley del destino que todos lo experimenten,
> que cuando surge el silencio sea también palabra,
> pero donde actúa el espíritu también estamos nosotros
> y disputamos qué sea lo mejor[12].

[11] Und nun erkennen wir ihn,
 Nun, da wir kennen den Vater
 Und Feiertage zu halten
 Der hohe, der Geist
 Der Welt sich zu Menschen geneigt hat.
  (vv. 74-78)

[12] Schicksalgesetz ist dies, dab alle sich erfahren,
 Dab, wenn die Stille kehrt, auch eine Sprache sei,
 Wo aber wirkt der Geist, sind wir auch mit, und streiten,
 Was wohl das Beste sei...
  (vv. 83-86)

Para el poeta, sin embargo, «lo mejor» es la consumación de los tiempos que ahora acontece:

... Así, ahora me parece ser lo mejor
cuando consuma su imagen y presto está el maestro,
y él mismo, transfigurado en su obra...[13].

El sentido de la metáfora es claro; su obra, que es su imagen, está acabada, quiere decir que el tiempo (imagen de la eternidad que sólo conviene al dios supremo) ha llegado también a su fin. Joachim Schmidt[14] ha señalado que las palabras «su obra», «maestro» y «obra» apuntan directamente al demiurgo del *Timeo* platónico. Tanto Hölderlin como Platón afirman la unidad del cosmos y de la divinidad; pero el mito creacionista del demiurgo platónico se convierte en mito escatológico y, consiguientemente, el dios-creador se relee como un dios que se da en la historia. Por otra parte, Platón ya había concebido al tiempo como imagen de la eternidad y Hölderlin, por su parte, considera a la historia como imagen de la divinidad originariamente (antes de toda escisión) intemporal, y así, continúa Schmidt, «translada la correlación de divinidad atemporal y tiempo histórico a la dinámica de la misma historia, para producir finalmente la identidad inmanente de la imagen del tiempo (...). Para Platón y también para Hölderlin el tiempo no es lo absolutamente opuesto a la eternidad; antes bien, la eternidad se abre en el tiempo y comparte con él su esencia, de modo que éste puede convertirse en su "imagen"»[15]. Elementos greco-platónicos son considerados desde una perspectiva cristiano-escatológica: un sincretismo que es a la vez expresión de la unidad ideal y de la armonía absoluta que se celebra en «Fiesta de paz».

[13] ... So dünkt mir jetzt das Beste
Wenn nun vollendet sein Bild und fertig ist der Meister
Und selbst verklärt davon aus seiner Werkstatt tritt...
(vv. 86-88)
[14] Cfr. *Holderlins geschichts...*, pp. 45 y ss.
[15] Idem pp. 46-47.

El sincretismo encuentra continuación en la siguiente estrofa. Que la palabra «imagen», como se ha supuesto en las reflexiones anteriores, tiene una dimensión temporal queda remarcado porque ahora, en la estrofa 8, aparece la expresión «*Zeitbild*», que puede traducirse por «imagen del tiempo»:

Y la imagen del tiempo, que ha desplegado el gran espíritu[16]

Que el «gran espíritu» haya desplegado la imagen del tiempo es signo, continúa Hölderlin, de que existe una alianza entre él y otras fuerzas («...*zwischen ihm und andern / Ein Bündnis zwischen ihm und andern Mächten ist*»). Estas otras fuerzas quedan caracterizadas con las expresiones «las increadas, las eternas», siendo así equiparadas en alguna medida con el «gran espíritu». Hölderlin no se puede estar refiriendo aquí al hijo, a Cristo, que es generado y está sometido al tiempo, sino más bien a la naturaleza, que en estos versos es dicha bajo los nombres «madre tierra», «luz» y «aire»:

... los increados, los eternos,
son todos reconocibles, al igual que en las plantas
también se dan a conocer la madre tierra y la luz y el aire[17]

Así como las plantas son las manifestaciones visibles de la «madre tierra», las divinidades que han estado en la tierra y que ahora regresan para celebrar la fiesta (Cristo, pero también Hércules y Dioniso) son, por así decirlo, manifestaciones y concreciones histórico-temporales de esa otra divinidad suprema que justamente a través de sus hijos-plantas se despliega y es la historia. Sólo así, disolviendo escatológicamente su especificidad, es pensable la recuperación de la semántica de la Antigüedad clásica (pues de lo contrario aparece una Grecia en su naturaleza más horrendamente aórgica).

[16] Und das Zeitbild, das der grobe Geist entfaltet (v. 94)
[17] ...die Unerzeugten, Ew'gen
Sind kennbar alle daran, gleichwie auch an den Pflanzen
Die Mutter Erde sich und Licht und Luft sich kennet.
(vv. 97-99).

120

Irritante libro. El autor con frecuencia se va por los cerros de Úbeda. Pero, a veces, va al grano... más o menos.

IX

Cristo, Hércules y Dioniso

Después de todo lo dicho no puede extrañar la mezcla de motivos griegos y cristianos presente en muchos poemas de Hölderlin, desde los más tempranos (por ejemplo, «Himno a la libertad») hasta los más tardíos. Pero mientras que en aquéllos la mezcla es una mera amalgama o yuxtaposición, en éstos Hölderlin acomete una verdadera transmutación de los diversos motivos. En los primeros poemas lo que se descubre es el tema schilleriano de la nostalgia y la pérdida, en los últimos lo que está en juego en la mutua imbricación de elementos cristianos y griegos es una determinada concepción del tiempo y de la historia; se trata, en efecto, de un recurso poético para expresar que al final de los tiempos y la historia aparecerá la reconciliación, la superación del antagonismo entre el mundo antiguo y el hespérico. La primera versión de «Pan y Vino», por ejemplo, lleva por título «El dios del vino»: el tránsito de Dioniso a las ofrendas de la eucaristía cristiana se lleva a cabo sin solución de continuidad. En la estrofa octava de este poema pan y vino son caracterizados como los dones que el coro celestial dejó tras sí después del cambio de los tiempos y que, desde entonces, por una parte, son su recuerdo, pero, por otra, también justifican que los poetas canten al dios del vino:

El pan es fruto de la tierra y sin embargo lo bendice la luz
y del tronante dios nos llega la alegría del vino.
Por eso nos recuerdan a los celestiales
que en otro tiempo nos acompañaron y han de regresar a
su debido tiempo,
por eso los poetas cantan al dios del vino con solemnidad
y no resulta fútil su alabanza para el antiguo dios[1].

Nótese el proceso de «grieguificación» al que Hölderlin
somete los motivos cristianos del pan y del vino, que dejan
de ser signo (o presencia real: no entro ahora en esta dificilí-
sima cuestión teológica) de Cristo en la eucaristía y pasan a
ser testimonio de los celestiales, que, a su vez, son equipara-
dos con las fuerzas de la naturaleza y puestos en relación
con el dios del vino[2]. (No siempre, pero hay ocasiones –por
ejemplo, ésta– en las que Hölderlin, como quiere Luis Cernuda, sigue siendo un poeta pagano.)

El sincretismo es expresión de esta reconciliación de las
diversas manifestaciones de la divinidad. Ahora bien, si es
posible esta reconciliación (y su expresión poética como
sincretismo) es porque hay, porque tiene que haber, una armonía oculta que enlace todos los momentos históricos por
debajo de los antagonismos. El problema, pues, es cómo
hacer patente lo que está oculto. Filosóficamente, ya lo sabemos, no es posible. De aquí el intento (a modo de variación poética del tema «lo uno en sí mismo dividido») que

[1] Brod ist Erde Frucht, doch ists vom Lichte gesegnet,
Und vom donnerden Gott kommet die Freude des Weins.
Darum denken wir auch dabei der Himmlischen, die sonst
Da gewesen und die kehren in richtiger Zeit,
Darum singen sie auch mit Ernst die Sänger den Weingott.
Und nicht eitel erdacht tönet dem Alten das Lob.
(vv.)
[2] Cfr. P. Böckmann, «Hölderlin - Brod und Wein», en B. von Wiese
(hg.), *Die deutsche Lyrik. Form und Geschichte*, bd. 1, Düsseldorf, Au-
gust Bagel Verlag, 1959, pp. 400-401.

emprende Hölderlin, en especial en «El Único», por mostrar que Cristo, Hércules y Dioniso son sólo diversas manifestaciones de una única realidad, pues si este fuera el caso quedaría salvada la unidad y armonía del proceso histórico. Dicho de otra forma, Cristo, Hércules y Dioniso no forman parte de sistemas de creencias o de mitologías diferentes y enfrentadas, sino de un mismo y omniabarcador acontecer: lo oculto que se muestra a los hombres a través de una serie de figuras. Esto, por una parte; por otra, se trata también de un último intento por conjurar el peligro del «desenfreno» y del «mundo de los muertos», pero inútilmente, como habrá que ver más adelante.

En alguna medida, Hölderlin está aquí en la estela de Schleiermacher, que en su *Über die Religion* había sostenido que hay verdad en todas las religiones, ya que la verdadera religión es infinita y no puede agotarse en ninguna de sus manifestaciones históricas concretas, que son finitas y positivas. Pero mientras que Schleiermacher habla en abstracto de las diferentes religiones (que habría que unificar en el marco de un horizonte futuro todavía más abstracto), Hölderlin se refiere a figuras míticas concretas. Este cambio de plano no es en modo alguno inocente, pues en muchas literaturas –comenta el poeta Luis Cernuda– «los mitos griegos son únicamente un recurso decorativo; pero nunca eje de una vida perdida entre el mundo moderno y para quien las fuerzas secretas de la tierra son las solas realidades, lejos de estas otras convencionales por las que se rige la sociedad; reglas prolongadas y ennoblecidas por otros poetas, pero que alguien como Hölderlin no puede jamás reconocer, a menos de negarse a sí mismo y desaparecer»[3].

Entre Cristo, Hércules y Dioniso hay sorprendentes paralelismos. Los tres son protagonistas de circunstancias extraor-

---

[3] «Hölderlin. Nota marginal» (1935), en *Obra completa*, vol. III, ed. de D. Harris y L. Maristany, Madrid, Siruela, 1994, p. 104.

dinarias, la mayor de las cuales, sin duda, es haber descendido al reino de las sombras y haber regresado de él. A través de estos hechos aparecen como grandes bienhechores de la humanidad y fundadores de culturas. Los tres murieron de una manera particularmente cruel, y los tres, en su más tierna infancia, fueron expuestos a peligros mortales de los que escaparon milagrosamente: señal inequívoca de que estaban tocados por el dedo de la divinidad. Lo cual no puede extrañar, pues también los tres son hijos de una madre mortal y de un padre divino, del cual dice Hölderlin en «El Único»:

> Pues nunca gobierna el sólo[4].

El Padre divino no domina solo, sino a través de la mediación de sus hijos –Hércules, Dioniso, Cristo–, que como Hölderlin declara expresamente son «hermanos», figuras que enlazan gradualmente a los mortales y al celestial. Desde esta perspectiva, la unidad y armonía del proceso histórico queda justificada poéticamente porque Cristo es uno de los dioses antiguos y en verdad el último de ellos. Los versos siguientes de la tercera estrofa de «El Único» lo expresan con claridad:

> ¡Oh vosotros, dioses antiguos,
> y vosotros, valientes hijos de los dioses!
> Aún busco yo Uno, al que amo
> entre vosotros,
> el último de vuestra estirpe,
> joya de la casa...[5].

---

[4] Denn nimmer herrscht er allein
   (v. 71, 1.ª versión)
[5] Ihr alten Götter und all
   Ihr tapfern Söhne der Götter
   Noch Einen such ich, den
   Ich liebe unter euch,
   Wo ihr den letzten eures Geschlechts
   Des Haubes Kleinod...
     (vv. 29-34, 1.ª versión; 31-36, 3ª versión).

Para comprender en qué sentido Cristo es el último de la estirpe de los dioses antiguos conviene tener presente que el Hércules al que se refiere Hölderlin no es el héroe brutal y de portentosa fuerza física que aparece, por ejemplo, en *Las Aves* de Aristófanes o en las *Traquinias* de Sófocles, sino más bien el personaje sutil y matizado que presenta Pródico en trance de decidir entre la virtud y el vicio, o que Séneca, en el *De Constantia* (2,1), caracteriza como «invictus laboribus, contemptor voluptatis, victor omnium tertarum». El Hércules, en definitiva, que Hölderlin ya había cantado en su juventud:

> ¡Oh hijo del Crónida! a tu lado,
> sonrojado, quiero estar,
> el Olimpo es tu conquista;
> ¡Ven y compártela conmigo![6].

Este mismo héroe que sirve de ejemplo moral al joven poeta es el que aparece en «El Único» como hermano de Cristo[7]. Del mismo modo, el Dioniso de «El Único» no es un semidiós orgiástico y tumultuoso, sino un personaje civilizatorio, fundador de culturas e instaurador de la paz:

> Eres también hermano de Dioniso
> que al carro uncía tigres
> y que, más abajo, hasta el Indo
> un culto jubiloso ordenaba,
> la viña regalaba
> y amansaba la ira de los pueblos[8].

---

[6] Sohn Kronions! an die Seite
Tret' ich nun errötend dir,
Der Olymp ist deine Beute;
Komm und teile sie mit mir!
(«An Herkules», vv. 41-44)

[7] Cfr. U. Hötzer, *Die Gestalt des Herakles in Hölderlins Dichtung. Freiheit und Bindung*, Stuttgart, 1962.

[8] Bist du Bruder auch des Eviers, der
An den Wagen spannte
Die Tiger und hinab

Sin embargo, a pesar de esta transfiguración a la que Hölderlin somete a Hércules y a Dioniso, se ve obligado a señalar una fundamental diferencia entre ellos y Cristo: los dioses antiguos son figuras patentes y próximas a los hombres, Cristo, por el contrario, es un dios oculto y que se esconde:

> ¿Por qué tan lejos de mí
> has estado? Y cuando preguntaba
> entre los antiguos,
> los dioses y los héroes,
> ¿por qué no venías?...[9]

Los siguientes versos de esta misma estrofa expresan, sin solución de continuidad, la tensión en la que vive el poeta:

> ...y ahora llena de pesar
> está mi alma,
> pues recelo, oh celestiales,
> que si a uno sirvo,
> el otro me falte[10].

Bis an den Indus
Gebietend freudigen Dients
Den Weinberg stiftet und
Den Grimm bezähmte der Völker
    (vv. 57-59, 1.ª versión)
[9] Was bist du ferne
Geblieben? und da
Ich fragte unter den Alten,
Die Helden und
Die Götter, warum bliebest
Du aus?...
    (vv. 38-43, 1.ª versión)
[10] ... und jetzt ist voll
Von Trauern meine Seele,
Als eifertet, ihr Himmlischen, selbst,
Dab, dien' ich einem, mir
Das andere fehlt
    (vv. 43-47, 1ª versión; 45-49, 3.ª versión)

Las estrofas 5-7, de las que ya he citado algunos versos, insisten en esta tensión. El poeta reconoce que «la falta» es suya, pero declara a Cristo hermano de Hércules y Dioniso; se avergüenza de comparar a Cristo con los otros dioses, pero insiste en la comparación; reconoce que su amor pertenece al Único y que su canto brotó demasiado del corazón, pero se apresura a enmendar esta situación cantando a los otros dioses. Hölderlin sabe perfectamente dónde está el problema:

> Nunca encuentro, como deseo,
> la medida...[11].

En «El Rin» Hölderlin ya había escrito: «Cada cual tiene su medida». Nótese el desplazamiento de la forma impersonal a la personal, señal inequívoca del desplazamiento del problema: en «El Único», a diferencia de lo que sucedía en «El Rin», ya no se trata de salvar la unidad y la armonía del proceso histórico, sino la del propio poeta. La tensión entre Cristo, Hércules y Dioniso es una figuración mitológica de la tensión existencial en la que vive el poeta, y la búsqueda de síntesis entre Cristo y los otros semidioses es la figuración mitológica de una búsqueda que se desarrolla en su misma conciencia[12]. La ubicación de los semidioses, Cristo incluido, es la misma que la del poeta. Situados aquéllos entre lo real-terrenal (pues son hijos de madre mortal) y lo ideal-celestial (ya que su padre es la divinidad) personifican en su mismo ser la permanente tensión en la que vive el poeta, y, aunque en parte terrenales como éste, también ellos sienten esta parte terrenal como un impedimento que se opone a su tendencia a reunirse con el Padre celestial. Se

---

[11] Nie treff ich, wie ich wünsche,
Das Mab...
    (vv. 89-90, 1.ª versión)
[12] Cfr. J. Schmidt, *Hölderlins geschichts...*, p. 138.

trata, por tanto, de la misma tensión entre lo ideal y lo real que ya se reflejaba en las diferentes versiones del *Empédocles,* pero que sólo ahora se atreve Hölderlin a expresar directamente como problemática propia, no como situación de uno de sus personajes de ficción.

Al movimiento de poetización de la divinidad al que me refería unas páginas más arriba se corresponde un movimiento de divinización del poeta, en el sentido de que poeta y semidioses se sienten como seres intermedios, como mediadores entre la divinidad y los mortales: por esto tienen que ser espirituales *(geistig)* y mundanos *(weltlich).* Y también por lo mismo, como ya indicaba, el poeta puede ser el auténtico y verdadero profeta que tiene encomendada la misión de anunciar la llegada de los tiempos dorados...o bien, por el contrario, convertirse en un falso sacerdote.

Pero todo esto, no lo olvidemos, sucede poéticamente en la conciencia del poeta: es en ella donde se encuentra la armonía oculta que por debajo de los antagonismos enlaza los momentos históricos; es en ella donde lo oculto se hace patente mediante la figuración mítica de la hermandad de Cristo, Dioniso y Hércules; es en ella donde esta hermandad se ve atacada por la tensión entre proximidad y lejanía; es, en fin, en la conciencia del poeta donde esta tensión aparece como la misma tensión entre lo real y lo ideal característica del poeta, es decir, de la conciencia del poeta, en donde se encuentra la armonía oculta que por debajo de los antagonismos enlaza todos los momentos históricos... ¿Cómo abandonar el solipsismo de la conciencia poética?

128

X

La tarea del traductor

La respuesta puede parecer obvia: volviendo la mirada a lo otro. Y lo *otro* son, en primer lugar, *otros* textos. Por eso Hölderlin traduce, a Sófocles, a Píndaro. ¿Por qué este empeño de Hölderlin? Por una parte, no hay que olvidar las dificultades económicas y personales que pasaba en estos momentos (siempre las había sufrido, pero en las fechas en las que se enfrenta a Sófocles y Píndaro se habían agudizado). Tras el fracaso de su proyectada revista, la labor traductora podía ser una buena forma de comenzar y con suerte cimentar la carrera de escritor libre soñada por él, que le habría liberado de las tareas de preceptor y de las insistencias maternas para que aceptara el puesto de pastor para el que había sido preparado en el *Stift* de Tübingen. Hay, por otra parte, en toda la labor traductora de Hölderlin, ese tributo de admiración a Grecia tan característico del clasicismo y del primer romanticismo.

Pero conviene tener presente que a lo largo de su vida variaron de forma significativa su concepción de la traducción y su misma praxis traductora. ¿Pues qué tiene que ver el traductor más o menos convencional del primer canto de la *Ilíada* o de Ovidio o Lucano con el poeta ya en posesión plena de una voz propia que traduce a Píndaro y a Sófocles? Hölderlin no traduce a estos autores sólo para hacer accesibles sus textos a lectores no versados en la lengua griega, sino para poner en claro su concepción de la tragedia y de la poesía en beneficio no sólo de su propia labor creadora poética, sino de la aclaración de una problemática teórica doblada de honda tensión existencial.

En su ensayo sobre la tarea del traductor[1], Walter Benjamin sostiene que en las buenas traducciones el original alcanza un desarrollo renovado y más abarcador, y ello porque entre las diferentes lenguas existe un íntimo parentesco, una peculiar convergencia, que justamente se acredita y sale a la luz en la traducción. Benjamin no se refiere al posible parentesco histórico, ni a las similitudes que pudiera haber entre las distintas tradiciones literarias o, incluso, entre las mismas palabras y reglas que gobiernan la sintaxis, pues el parentesco suprahistórico que liga todas las lenguas descansa más bien en el hecho de que en cada una de ellas se menta lo mismo, pero que, sin embargo, no puede ser alcanzado por ninguna de ellas en su aislamiento, sino sólo en la totalidad de las intenciones, mutuamente complementarias, de todas ellas. En este sentido, todas las lenguas apuntan a una única lengua, a la que Benjamin se refiere con la expresión «la lengua pura»[2], quizá esa lengua, la única libre de deformaciones e ilusiones, que, de acuerdo con Boehme, hablaba Adán y que volverán a hablar los hombres cuando alcancen el paraíso.

Las traducciones, desde esta perspectiva, son tentativas siempre renovadas y siempre provisionales en esta dirección de una integración de las muchas lenguas en una «lengua pura». Esta lengua, por la que en vano se han esforzado los filósofos, es la que está oculta (a modo de promesa) en la traducción; en la traducción y, según Hölderlin, en la poe-

---

[1] «Die Aufgabe des Übersetzers», en *Gesammelte Schriften*, bd. IV-1, Frankfurt, Suhrkamp, 1980.

[2] Cfr. ídem, p. 13

sía, pues la poesía es en cierto sentido traducción: traducción a los mortales de las figuraciones míticas que se desarrollan en la conciencia del poeta, y es así también, en la dirección contraria, salvación de la soledad solipsista a la que se arriesga el poeta. Se trata, pues, de un problema subjetivo. Por eso J. Derrida ha llamado la atención sobre el hecho de que el ensayo de Benjamin, ya desde su mismo título, trate del traductor –del problema y la tarea del traductor– y no de la traducción: «Nombra el sujeto de la traducción como sujeto endeudado, obligado por un deber, en situación ya de heredero, inscrito como superviviente en una genealogía, como superviviente o agente de supervivencia»[3].

La necesidad de un nuevo lenguaje es un tema del que ya he hablado más arriba, cuando introducía algunos comentarios que intentaban aclarar el sentido del ensayo «La forma de proceder del espíritu poético»; lo dicho allí vuelve a ser pertinente en el presente contexto: la necesidad de un nuevo lenguaje para un nuevo pensamiento, y la circunstancia de que el mismo texto de Hölderlin (ya sea poesía, reflexión poetológica o, como es ahora el caso, traducción) no sea primordialmente explicación, sino elemento constitutivo de ese empeño por satisfacer esa necesidad tan hondamente sentida. En alguna medida, el ensayo de Benjamin apunta en la misma dirección, y por eso no puede extrañar que en él se refiera repetidas veces a la labor traductora de Hölderlin como ejemplo de esa labor de integración, más aún, de creación de esa «lengua pura», que yace oculta en toda traducción. Sacar a la luz esta lengua es en cierto sentido el deber asignado a la tarea del traductor. «La traducción –comenta Derrida– no pretendería decir esto o lo otro, trasponer tal contenido o tal otro, comunicar tal carga de sentido, sino re-marcar la afinidad entre las lenguas, mostrar su propia posibilidad (...) La traducción hace *presente*

---

[3] «Torres de Babel», en *Er*, 5, 1987, p. 47.

de un modo solamente anticipador, anunciador, casi profético, una afinidad que no está nunca presente en esta presentación»[4]. Y algo más adelante: «La traducción promete un reino para la reconciliación de las lenguas. Esta promesa, acontecimiento propiamente simbólico, que ensambla, empareja, une a dos lenguas como a las dos partes de un todo mayor, apela a una lengua de la verdad *(Sprache der Wahrheit)*. No a una lengua verdadera, adecuada a algún contenido exterior, sino a una verdadera lengua, a una lengua cuya verdad no se refiriera más que a ella misma»[5].

Desde esta perspectiva, el problema del solipsismo de la conciencia poética es en cierta medida un falso problema. Entiéndase bien, no es que no exista, que sí existe, pero sólo para la mirada filosófica, no para aquél que, como Hölderlin, ya se ha situado más allá del lenguaje de los mortales y ha alcanzado esa afinidad de la que habla Derrida: única forma de decir lo que sucede poéticamente en la conciencia del poeta, tensando los límites expresivos del lenguaje hasta rebasar los márgenes de la decibilidad, para que así aquél diga lo todavía no dicho y surja performativamente esa nueva realidad que Hölderlin veía tan claramente, pero que permanece oculta a los mortales, que la posibilidad, en definitiva, se haga realidad. Reconozco, pues, que muchas veces no se entiende bien lo que Hölderlin dice o quiere decir, pero tampoco me atrevo a recurrir al cómodo recurso explicativo de la locura, que al parecer por aquel entonces –me refiero a la época en la que Hölderlin traducía a Sófocles– ya comenzaba a adueñarse del alma del poeta.

En cualquier caso, un lenguaje sometido a tan extremas exigencias tiene necesariamente que sonar extraño. Por eso la irritación e incluso hilaridad que provocaron entre sus contemporáneos las traducciones de Hölderlin; por eso

----

[4] *Op. cit.,* p. 53.
[5] Ídem, pp. 63-64.

también los primeros editores de sus poesías –pienso en Ludwig Uhland y en Gustav Schwab, así como en Christoph Theodor Schwab– se negaron a dar a la imprenta toda una serie de sus poemas más tardíos, pues hasta tal punto les extrañaba su lenguaje y construcción que sólo veían en ellos el producto de una mente perturbada[6]. De la poesía de Hölderlin, de por qué «suena» y tiene que «sonar» necesariamente extraña, ya me he ocupado en alguna medida. ¿Pero por qué tenía que suceder exactamente lo mismo en el caso de sus traducciones?

Al ocuparse del dilema (que atenaza a todo traductor) libertad *versus* fidelidad señala Benjamin que si el original y la traducción se acoplan entre sí siendo diferentes (como lo son, y se entrejuntan, los trozos de una vasija), para formar una «lengua mayor», entonces queda claro que no sólo se ve alterada la lengua del texto, sino también la del traductor, justamente en la medida en que, al acoplarse y entrejuntarse con la del original, se ve convertida en esa «lengua mayor». Los traductores que han satisfecho verdaderamente su tarea (y aquí se menciona expresamente a Hölderlin) han ampliado los límites de su lengua materna. Benjamin, citando a Rudolf Pannwitz, señala que no se trata tanto de «alemanizar» el griego cuanto de «grieguificar» el alemán. Muy probablemente estaba pensando en Hölderlin. De hecho, pocas líneas antes de la comparación de la traducción con la tarea de juntar –reconstruir– los trozos de una vasija, se había referido a la total incomprensión que habían sufrido sus traducciones al ser entendidas por sus contemporáneos como «monstruoso ejemplo de extrema literalidad»: en esta literalidad no está en juego una fidelidad morbosa y enfermiza,

---

[6] Tomo este revelador dato de J. Schmidt, «Hölderlin im 20 Jahrhundert. Rezeption und Edition», en G. Kurz, V. Lamitschka, J. Wertheimer (eds.), *Hölderlin und die Moderne*, Tübingen, Attempto Verlag, 1995, pp. 107-109.

sino el intento de pensar griegamente la traducción de un texto griego al alemán, pues sólo así se anula y se manifiesta, en un movimiento dialéctico simultáneo, la distancia que separa y une lo griego y lo hespérico. Con palabras de Benjamin: se satisface la promesa, que yace oculta en toda traducción, en pro de una «lengua pura».

El presupuesto de cualquier traducción es la existencia, más o menos tenue, de algún tipo de continuidad entre el contexto de producción del texto original y el contexto en el que acontece la traducción. Muchos de los contemporáneos de Hölderlin pensaron que entre su tiempo y el de los griegos tal continuidad era especialmente patente. Por eso los textos de los griegos son «clásicos», válidos y vigentes al margen o por encima de su particular contexto de producción; de donde se sigue que su traducción es en gran medida sólo asunto de pericia filológica. Pero la dialéctica entre lo griego y lo hespérico que Hölderlin elabora en su carta a Böhlendorff del 4 de diciembre de 1801 socava de raíz tal planteamiento[7]. Escribe Hölderlin: «He trabajado largamente sobre esto y ahora sé que, aparte de aquello que deba ser lo elevado entre los griegos y entre nosotros, en concreto, la proporción y la destreza vivas *(nemlich dem lebendigen Verhältnib und Geschick),* no tenemos por qué tener nada igual a ellos». De acuerdo con este planteamiento, lo común a lo propio y a lo ajeno, lo que establece la continuidad, no es un metatexto (historia universal, tradición...), sino «la proporción y la destreza vivas», que es justamente lo que pugna por ser dicho. Hölderlin, con radicalidad y coherencia verdaderamente asombrosa, se propone traducir, no lo dicho, sino lo que pugna por ser dicho. Parece obvio que para tal empeño no es suficiente

---

[7] Cfr. V. Rühle, «Die Poesie existiert nicht vor ihrer Übersetzung. Zur Übersetzbarkeit von Hölderlins Sophoklesübersetzung», trabajo no publicado que cito gracias a la amabilidad del autor.

con la pericia filológica, sobre todo si se tiene en cuenta que, como ya he señalado en algún momento, Hölderlin veía la relación entre lo griego y lo hespérico como una relación de tensión entre dos momentos que se oponen pero que en el momento de máxima oposición encuentran sin embargo lo común. Pero esto es algo que los mismos griegos no podían saber. Por eso no puede extrañar que en las tragedias de Sófocles haya momentos y perspectivas que, aunque estén presentes en el texto, hayan pasado desapercibidas para el mismo trágico, pero que pueden ser sacadas a la luz por el traductor. «En el texto original –explica G. Steiner– están latentes ciertas verdades, ciertos órdenes de significación y ciertas potencialidades que no están realizadas en su aparición inicial en el texto. Esta presencia es en cierto modo sólo un anuncio, aunque bien trabajado, de formas de ser que todavía deben realizarse. La tarea sagrada, aunque paradójica y hasta antinómica, de 'traductor' consiste en llamar a la vida esas latencias presentes pero aún no realizadas, en "sobrepasar" el texto original con el exacto espíritu de ese texto»[8]. Hölderlin, pues, se enfrenta a los textos de Sófocles animado por estas convicciones, no lo olvidemos, profundamente arraigadas en su ánimo. En carta al editor F. Wilmans de 28 de septiembre de 1803[9], después de agradecerle «infinitamente el amable interés que ha mostrado por la traducción de las tragedias de Sófocles», escribe: «Espero poder presentarle al público de modo más vivo de lo usual ese arte griego que nos resulta ajeno debido a la conveniencia nacional y los fallos con que siempre fue saliendo adelante, y ello haciendo resaltar más lo oriental, que aquel arte siempre negó, y corrigiendo sus fallos artísticos donde quiera que aparezcan».

---

[8] *Antígonas. Una poética y una filosofía de la lectura*, Barcelona, Gedisa, 1996, p. 62.
[9] St.A., 6,1, 434 (n.º 241).

Sólo se puede resaltar lo que ya existe de algún modo; luego lo «oriental» existe en el arte griego, si bien éste -en el curso del recorrido de su vía excéntrica- llegó a negarlo. Lo oriental (es decir, lo que se opone a la «sobriedad junónica»), que aún vive oculto y negado en las tragedias de Sófocles, es justamente lo que Hölderlin se propone sacar a la luz en sus traducciones del *Edipo,* de la *Antígona* y de Píndaro. Pero lo sacado a la la luz acabará tomándose su venganza: la Grecia más verdadera y más oriental no es un momento de reconciliación, sino de lucha y de desenfreno cósmico.

15 - 3 - 2003.

Buen capítulo.

136

XI

Píndaro

Para Hölderlin, Píndaro es un poeta «oriental». Es una obviedad, pero conviene tenerlo presente: nosotros leemos a Píndaro a través de Boeckh, Dissen, Drachmann, Wilamowitz, Schadewaldt, Fraenkel, etc.[1], Hölderlin, evidentemente, no. Para él, Píndaro es sobre todo el poeta de la fiesta. Y aquí es obligado acudir a dos poemas de Hölderlin que ya me han ocupado y que ahora será menester retomar, me refiero a «Como en día de fiesta» y a «Fiesta de paz».

¿Qué buscaba Hölderlin en Píndaro? Algunos autores han sostenido que las traducciones hölderlinianas de Píndaro son un mero ejercicio estilístico[2], de suerte que Hölderlin leería y traduciría a Píndaro con un interés exclusivamente lingüístico, métrico y compositivo, pero nada más. Desde esta perspectiva sólo estilístico-formal se explicaría la extremada literalidad –Hölderlin traduce palabra a palabra, casi sílaba a sílaba– de sus versiones: las traducciones serían, por así decirlo, un destripamiento de los versos de Píndaro, como si Hölderlin quisiera de este modo adueñarse de sus

---

[1] Me refiero, como es evidente, a la célebre discusión sobre qué confiere carácter unitario a los Epinicios.

[2] Cfr., por ejemplo, M.Benn, *Hölderlin and Pindar*, The Hague, 1962, p. 141.

secretos para luego aplicarlos a sus propias composiciones poéticas. Cierto e indudable, sólo que estos secretos no son o no son únicamente métricos o estilísticos. R. B. Harrison[3] ha llamado la atención sobre el hecho de que en las odas traducidas por Hölderlin no sólo se festeja a los vencedores en los Juegos, sino que son también, y quizá en mayor medida, verdaderos cantos festivos en honor de Zeus y Apolo; por eso, continua Harrison, Hölderlin no tradujo ninguna Nemea, ni ninguna Ístmica, sino sólo Olímpicas y Píticas, porque en aquéllas, a diferencia de lo que sucede en éstas, no está presente el tema de la fiesta que liga a hombres y dioses. Hölderlin no hizo sus «ejercicios estilísticos» al azar, sino sobre unos textos muy concretos.

Píndaro siempre había fascinado a Hölderlin. En un texto escolar de 1790, «Historia de las bellas artes entre los griegos hasta el final de la era de Pericles»[4], ya se había referido elogiosamente al poeta de los Epinicios: sus himnos son el *summun* del arte poético, pues ha unificado el carácter expositivo del *epos* con la pasión de la tragedia. Pero en los poemas tardíos que ahora nos ocupan hay mucho más que consideraciones elogiosas de esta o similar índole. Wolfgang Schadewaldt[5] ha señalado que un motivo fundamental de los epinicios de Píndaro lo constituye el sentido del deber por el que el poeta se siente arrebatado: dado determinado acontecimiento el poeta debe cantarlo, como si la acción y el poema que la celebra se exigieran mutuamente; la acción urge y desemboca en el poema y el poeta, a menos de traicionarse, debe satisfacer esta exigencia y esta urgencia. Es exactamente la misma actitud de Hölderlin,

[3] *Hölderlin and Greek Literature*, Oxford, Oxford University Press, p. 282.

[4] St.A., 4,1, 202.

[5] *Der Aufbau des pindarischen Epinikion*, Schriften der Königsberger Gelehrten Gesellschaft, Geisteswissenchaftliche Klasse, 5 Jahr, Heft 3, Halle, 1928.

138

que canta urgido por las exigencias del *Zeitgeist*. Pero la Revolución Francesa no es, como quiere P. Bertaux[6], el acontecimiento que exige el canto del poeta. Aunque de alguna manera tome pie en acontecimientos históricos concretos (entre los cuales hay que citar sin lugar a dudas a la Revolución Francesa y todos los sucesos que desencadenó, muy especialmente la paz de Lunéville), Hölderlin va mucho más allá, al igual que los Epinicios de Píndaro, aunque tomen pie en la victoria de este o aquel atleta, desbordan esta circunstancia histórica concreta.

Hölderlin no duda de que el *Zeitgeist* es manifestación de lo siempre viviente y de las fuerzas de los dioses *(«Die Allenbendigen, die Kräfte der Götter»)*, por decirlo con un verso de «Como en día de fiesta», un poema que no por casualidad es absolutamente pindárico en su estructura y contenido[7]. El siguiente verso de este mismo poema dice:

¿Preguntas? En el canto ondea su espíritu[8].

Al igual que en muchas odas de Píndaro el poema se refiere al mismo poema en tanto que celebración y celebración debida, cuando Hölderlin escribe que en el poema ondean las fuerzas de los dioses, se refiere al mismo poema en el que aparecen estos versos. Y así, tanto uno como otro, tanto Hölderlin como Píndaro, satisfacen en el mismo acto de la escritura su tarea como poetas. Con esta satisfacción, poéticamente, se abandona el solipsismo de la conciencia

---

[6] Cfr. *Hölderlin und die Französiche Revolution*. Sobre las discusiones que desencadenaron las tesis de Bertaux, cfr. P. Howard, «Hölderlin and Revolution», en *Forum for Modern Language Studies*, 12, 2, 1976, pp. 118 y ss.

[7] El carácter pindárico de este poema ha sido exhaustivamente estudiado y documentado por A.Seifert, *Untersuchungen zu Hölderlins Pindar-Rezeption*, München, Wilhelm Fink Verlag, 1982, en esp. pp. 93 y ss.

[8] Erfrägst du sie? im Liede wehet ihr Geist
(v. 37)

poética, pues si, por una parte, la voz del poeta nace de la intimidad aislada de su conciencia, por otra, está en comunión con las fuerzas de los dioses. Sigo citando versos de «Como en día de fiesta»:

> Son pensamientos del espíritu común,
> acabando silenciosamente, en el alma de poeta[9].

Esta comunión debe ser dicha; la tarea del poeta consiste en satisfacer este deber. De donde se sigue que él interviene activamente en la configuración del poema. Esta aclaración, que puede parecer una obviedad, viene a cuenta de lo siguiente: considerar la poesía como un don divino que el poeta se limita a recoger y transmitir es un lugar común en toda la poesía de la Grecia clásica. Píndaro también participa de él, pero añade la necesidad imperiosa de participación del poeta, de suerte que el poema aparece como un entremezclamiento armonioso de fuerzas humanas y divinas[10]. Con un ejemplo de la Olímpica XI y en la traducción de J. Alsina: es cierto que «por la gracia de los dioses / florecen las excelencias / de los hombres...», pero es «el labio» del poeta el que «...pronto está / a apacentar esta empresa». En la Olímpica III: la Musa se encuentra al lado del poeta, pero es Píndaro el que ha encontrado «...una forma / nueva y fulgente de adaptar la doria / sandalia a mis canciones». Con mayor claridad todavía en la Olímpica VII: la poesía es «...don de las Musas / y dulce fruto del talento mio». Porque el poeta tiene talento: para Píndaro *sophós* y poeta son palabras sinónimas.

En este contexto de interpretación A. Seifert[11] ha llamado la atención sobre los versos 96/97 de la Olímpica II, que Alsina traduce del siguiente modo:

---

[9] Des gemeinsamen Geistes Gedanken sind,
   Still endend, in der Seele des Dichters.
   (vv. 43-44)

[10] Cfr. O.Falter, *Der Dichter und sein Gott bei den Griechen und Römern*, Würzburg, 1934, p. 34.

[11] Cfr. *op. cit.*, pp. 205 y ss.

Sabio es el que conoce muchas cosas
por un don de Natura.

Es decir, el *sophós*, el poeta, lo es por naturaleza y no porque haya aprendido a serlo. En el mismo sentido se expresa Píndaro en la Olímpica IX, añadiendo que ese don natural, que distingue a los sabios-poetas de los demás mortales, es de origen divino; algo, pues, que está en la misma naturaleza del poeta, pero que debe ser despertado por la divinidad:

Es el don natural lo que más vale
pero muchos pretenden,
entre los hombres, alcanzar la gloria
con cualidades aprendidas. Pero
si un dios no la propicia
mejor dejar la empresa en el silencio.

Hölderlin se expresa de forma muy parecida en la segunda estrofa de «Como en día de fiesta»; dice, refiriéndose a los poetas, es decir, a sí mismo:

Así están ellos, en clima propicio,
ellos, que no tuvieron sólo un maestro,
instruidos por la naturaleza, maravillosamente omnipresente
poderosa y bella como los dioses[12].

Hölderlin no dice aquí exactamente lo mismo que Píndaro, pues si para este último la poesía es fruto de la naturaleza propiciada por la divinidad, para Hölderlin es más esto que otra cosa, pero también es esa otra cosa: así lo indica con toda claridad la palabra «sólo» *(allein)*, que en el contexto de estos versos pone de manifiesto que la educación

---

[12] So stehn sie unter günstiger Witterung
Sie, die kein Meister allein, die wunderbar
Allgegenwärtig erzieht in leichtem Umfangen
Die mächtige, die göttlichschöne Natur.
(vv. 10-13)

de los poetas es asunto, sobre todo y en gran medida, de la naturaleza, pero también, aunque en menor grado, de los maestros. Es posible que esta matización que introduce Hölderlin tenga que ver con la aguda y particular conciencia histórica que él sí tenía y de la que Píndaro carecía por completo, pues alguien que se sabe a sí mismo y a su época momento del recorrido de una «vía excéntrica» tiene necesariamente que rendir algún tributo al pasado, puesto que se trata justamente de *su* pasado. Ahora bien ¿qué maestros? Maestros de los poetas sólo pueden serlo aquéllos otros poetas que han sido tocados por la divinidad y que en sus versos han expresado para los mortales este trato festivo con los dioses. Por ejemplo, y de forma particularmente relevante, el mismo Píndaro. Hölderlin, pues, traduce a Píndaro porque lo está estudiando, porque es su maestro en el sentido que acabo de indicar. Este sentido, es decir, la relación Hölderlin/Píndaro, no deja de ser una cara más del sentido, de las relaciones, entre lo griego y lo hespérico.

En el ensayo titulado «El punto de vista desde el cual tenemos que contemplar la Antigüedad», Hölderlin había rechazado entender la «originalidad e independencia» como comienzo nuevo y absoluto que desprecia e ignora todo lo pasado; la originalidad consiste más bien en ver y expresar de nueva forma (acomodada a los nuevos tiempos que vive el poeta) un «fundamento originario comunitario». De lo que se trata, escribe Hölderlin, es de que «a partir del mismo fundamento que aceptamos, viviente y en todas partes igual, como el origen de todo impulso de formación, nos propongamos nuestra propia dirección», y añade: «...de modo que en el fundamento originario de todas las obras y actos de los hombres nos sentimos iguales y en unidad con todos, por grandes o pequeños que sean, pero en la particular dirección que nosotros tomamos...»[13]. En la configura-

---

[13] «El punto de vista desde el cual...», p. 34 (St.A., 4,1, 222).

ción de una poesía verdaderamente original intervienen, pues, dos elementos: el «fundamento originario» y la «particular dirección». Con todo, aquéllo «que aceptamos, viviente y en todas partes igual» y en lo que «nos sentimos iguales y en unidad con todos» sólo puede ser la divinidad. Ya lo he repetidos varias veces: para Hölderlin la poesía es presencia de la divinidad en la obra humana, es –por decirlo con palabras tomadas de un verso de «Como en día de fiesta» obra de los dioses y de los hombres (*«...der Götter und Menschen Werk»*).

Lo que Hölderlin expresa en abstracto, Píndaro ya lo había cantado en concreto a propósito de sí mismo y de su propia labor poética. De aquí, vuelvo a insistir, la fascinación del primero por el segundo, la fascinación por el maestro: porque Hölderlin ve en Píndaro un poeta que habita en la intimidad de los dioses. Tal es, por otra parte, la esencia de la verdadera poesía porque dice verdad, verdad que ni se alcanza ni se conquista, sino que aparece y se acepta como regalo: rememorar y anunciar aquellos tiempos pasados y venideros en que hombres y dioses vivían conjuntamente; días felices y sin lugar a dudas días también de fiesta. El poema «Como en día de fiesta» es exactamente eso: rememoración y a la vez anuncio del acontecimiento *como en día de fiesta*.

Así se explica la alta misión que tiene asignado el oficio de poeta; sigo citando de este mismo poema:

> Así, dicen los poetas, pues pretendió
> ver al dios, su rayo cayó sobre la casa de Semele,
> y la alcanzada por el dios alumbró
> al fruto de la tormenta, al sagrado Baco.

> Y por eso los hijos de la tierra beben ahora
> sin peligro el fuego celestial.
> Mas a nosotros, oh poetas, nos corresponde
> estar bajo las tormentas del dios, con la cabeza desnuda,
> coger con las propias manos el rayo del Padre,

cogerlo a él mismo,
y decir al pueblo con el canto el don celestial.
Pues si nuestros corazones son puros
y nosotros, como niños, tenemos manos inocentes,
el rayo puro del Padre no nos abrasará
y profundamente sacudidos, sufriendo las penas
del fuerte, nuestro corazón permanecerá firme
en las tempestades del dios, cuando él se acerca[14].

---

[14] So fiel, wie Dichter sagen, da sie sichtbar
Den Gott zu sehen begehrte, sein Blitz auf Semeles Haus
Und die Göttlichgetroffne gebar
Die Frucht des Gewitters, den heiligen Bacchus.
Und daher trinken himmlisches Feuer jetzt
Die Erdensöhne ohne Gefahr.
Doch uns gebührt es, unter Gottes Gewittern,
Ihr Dichter! mit entblößtem Haupte zu stehen
Des Vaters Strahl, ihn selbst, mit eigner Hand
Zu fassen und dem Volk ins Lied
Gehüllt die himmlische Gabe zu reichen.
Denn sind nur reinen Herzens,
Wie Kinder, wir, sin schuldlos unsere Hände,
Des Vaters Strahl, der reine, versengt es nicht
Und tieferschüttert, die Leiden des Stärkeren
Mitleidend, bleibt in den hochhersstürzenden Stürmen
Des Gottes, wenn er nahet, das Herz doch fest. (vv.50-66)

XII

¿Y si todo hubiera sido en vano?

Pero «Como en día de fiesta» no finaliza aquí, sino con los siguientes enigmáticos versos, de muy difícil interpretación tanto por su estado fragmentario, como porque parecen contradecir todo el curso del poema:

¡Mas ay de mí! Si

¡Ay de mí!

Y digo de inmediato

Cerca de contemplar a los celestiales,
ellos mismos, que me arrojan más abajo, entre los mortales,
–a mi, falso sacerdote–, a la oscuridad,
que cante la canción de advertencia a aquéllos que quieran
escucharla.

Allí[1].

---

[1] Doch weh mir! wenn von

Weh mir!

Und sag ich gleich,

Ich sei genaht, die Himmlischen zu schauen,
Sie selbst, sie werfen mich tief unter die Lebenden
Den falschen Priester, ins Dunkel, dab ich
Das warnende Lied den Gelehrigen singe.
Dort.
(vv. 66-74)

M. Mommsen[2] ha puesto en relación estos versos finales con la problemática que nace de la revelación de los secretos divinos. Si el poeta está en tratos con la divinidad corre siempre el peligro de querer nombrar lo innombrable y así caer, como Edipo, en el «pecado», en el *nefas*: «...Edipo *interpreta demasiado infinitamente* la sentencia del oráculo y es tentado hacia el *nefas*»[3], pues en modo alguno resulta obligado poner en relación esta sentencia[4] con la muerte de Layo, sino que –como señala el mismo Hölderlin– bien podría querer decir simplemente «erigid, en general, una justicia recta y pura, mantened el buen orden ciudadano». Pero Edipo rechaza esta interpretación «finita» y une (al entender la sentencia del oráculo «demasiado infinitamente») lo que no tendría por qué estar unido, pues –continúa así su interpretación Hölderlin– «en seguida habla sacerdotalmente: *Mediante qué purificación*, etc. Y va a lo *particular: Y ¿para qué hombre indica él este destino?*». ¿No le podría suceder exactamente lo mismo al poeta? ¿que interpretara «demasiado infinitamente» el mensaje que ha recibido? ¿que hablara «sacerdotalmente» y que se dirigiera «a lo particular», esto es, a él mismo? Siempre es peligroso querer mirar directamente a la divinidad, pues puede suceder lo que aconteció a Semele, que quiso amar a Zeus bajo la misma forma en la que el dios amaba a Juno y, como es normal y no puede sorprender a nadie, «su cuerpo mortal no pudo resistir la celeste acometida, y ardió con el conyugal presente»[5]. Se trata de un motivo que aparece con relativa frecuencia en la obra de Hölderlin; en la carta a Böhlendorff del 4 de diciembre de 1801 explícitamente: «Por lo demás, podría gri-

[2] Cfr. «Die Problematik des Priestertums bei Hölderlin», en *Hölderlin Jahrbuch*, 1967/68, pp.53 y ss.
[3] «Notas a Edipo», p. 136 (St.A., 5, 197).
[4] *Edipo*, vv. 96-98.
[5] Ovidio, *Metamorfosis*, III, vv. 308-309.

tar de júbilo debido a una nueva verdad (...) pero ahora temo que al final me ocurra lo que al antiguo Tántalo, que estuvo más cerca de los dioses de lo que podía soportar». También está presente, por ejemplo, en «Pan y Vino»:

> Pues no siempre una vasija frágil puede contenerles,
> el hombre soporta la plenitud divina sólo un tiempo[6].

Ahora bien, en «Como en día de fiesta» no hay ninguna prohibición de mirar a la divinidad, sino más bien todo lo contrario[7].

El llamado «Esbozo previo en prosa» permite rellenar el hueco que en la versión métrica iría después de «¡Más ay de mi! Si». El texto en cuestión reza del siguiente modo: «Pero cuando el corazón me sangra de una herida autoinflingida y profundamente perdida está la paz y la satisfacción libremente comedida, y la intranquilidad y la imperfección me empujan a la sobreabundancia de la mesa divina, cuando en torno a mi»[8]. De acuerdo con este texto el pecado del poeta estaría en buscar la divinidad con el fin de aliviar las propias faltas e imperfecciones, convirtiéndose así en un falso sacerdote[9]. Desde esta perspectiva, el problema no está en la divinidad, en que abrase a todo aquél que se atreva a situarse en su proximidad, sino en el mismo hombre, en sus faltas e imperfecciones. La «herida autoinflingida» sería, de acuerdo con Peter Szondi[10], expresión de este padecimiento por sí mismo, por las propias debilidades, y lo que le estaría prohibido al poeta sería dirigirse a la divinidad a partir de

---

[6] Denn nicht immer vermag ein schwaches Gefäss sie zufassen,
Nur zuzeiten erträgt göttliche Fülle der Mensch.
(vv. 103-104)
[7] Cfr. A. Seifert, *op. cit.*, p. 302.
[8] St.A., 2, 669.
[9] Cfr. P. Szondi, «Der anderer Pfeil. Zur Enstehungsgeschichte des hymnischen Spätstils», en *Hölderlin-Studien*, Frankfurt, 1963, pp. 33 y ss.
[10] *Op.cit.*, p. 45.

estos sufrimientos y debilidades. Szondi, por lo demás, leyendo el final de «Como en día de fiesta» en paralelo con las *Elegías* (especialmente «Lamentos de Menón por Diotima»), opina que la imagen «el corazón me sangra de una herida autoinflingida» designa el estado en el que se encontraba Hölderlin tras la ruptura con S. Gontard[11]. Sin embargo, parece más adecuado poner en relación estos versos finales de «Como en día de fiesta» con el Empédocles[12] y con el proceso de radicalización que lleva de «El devenir en el perecer» a las «Notas».

Recordemos que en la tragedia también aparece el tema de los falsos sacerdotes. Páginas más arriba ya mencioné los versos 656-657 de la «Segunda versión»; habla Delia:

> Con demasiada complacencia, Empédocles
> con demasiada complacencia te inmolas.

---

[11] Cfr. *op. cit.*, p. 54.

[12] Cfr. A. Seifert, *op. cit.*, pp. 308 y ss. J. L. Villacañas ha defendido de forma muy sugerente que la figura y la experencia de Empédocles debe proyectarse sobre toda la producción hímnica de Hölderlin. Comentado las frases de *Vorentwurf in Prosa* que acabo de citar escribe: «¿Mas no era Empédocles también el que había perdido el sentido de los dones de la poesía, y con ella la seguridad, la paz, la tranquilidad, y la receptividad, del poeta ingenuo? ¿No creyó suplir esta falta de donación con un exceso de impulso y de esfuerzo? ¿No fue ésa su propia culpa, intentar asegurarse el poder sobre los hombres mediante una superproducción de actos poéticos frente al pueblo? Esa autoinculpación era central en Empédocles, y ahí reside el momento evolutivo de Hölderlin. Szondi ha puesto de manifiesto que, en una versión inicial de estos versos, falta ese elemento de culpa, y así su posterior presencia deviene central. Pues en efecto, en una versión previa se dice pura y simplemente: «cuando el corazón me sangra de otra flecha». La invocación inicial apunta a Apolo, el dios que inspira y mata. La definitiva y última apunta a la propia acción del poeta que, en Occidente, merece y acepta el destino trágico que Hölderlin se dispone a cumplir hasta el final» (*Narcisismo y objetividad. Un ensayo sobre Hölderlin*, Madrid, Verbum, 1997, pp. 184-185).

¿No será que Empédocles se autoinmola «con demasiada complacencia» justamente por sus faltas e imperfecciones? ¿cómo sabe que es o que le está permitido ser la víctima sagrada? ¿no será Empédocles también un personaje que sangra «de una herida autoinfligida»? Como dice Hermócrates:

> Le conozco, conozco a los que son demasiado
> felices, a los mimados hijos del cielo,
> que no sienten nada más que su alma.
> Si alguna vez el instante les perturba
> –y son frágiles estos seres delicados–
> después nada vuelve a apaciguarlos, una
> herida ardiente les empuja, bulle incurable
> en su pecho...[13].

En esta «Segunda versión» habla Hermócrates, pero en las siguientes Hölderlin tiende cada vez más a hacer suya esta visión del héroe: por eso, como ya indicaba, el *Empédocles* se vuelve tarea conceptualmente imposible, y Hölderlin debe abandonar su proyecto de escribir una tragedia, pues su héroe está en el límite de convertirse en falso sacerdote. Si se arroja al Etna porque nada vuelve a apaciguarlo, porque le empuja una herida ardiente, entonces se estaría dirigiendo a la divinidad a partir de sus sufrimientos y debilidades. Justamente lo que le está prohibido al poeta. Comparemos el *«wenn er nahet»* del verso 66 con el *«Ich sei genaht»* de la última estrofa: si es el dios el que se acerca el corazón permanecerá firme aun en medio de la presencia

---

[13] Ich kenn' ihn, kenne sie, die überglüklichen
Verwöhnten Söhne des Himmels,
Die anders nicht, den ihre Seele, fühlen.
Stört einmal sie der Augenblick heraus -
Und leichtzerstörbar sind die Zärtlichen -
Dann stillet nichts sie wieder, brennend
Treibt eine Wunde sie, unheilbar gährt
Die Brust...
(vv. 136-143)

divina; el problema está en que no sea el dios, sino el poeta, el que inicie el movimiento de aproximación. Se convierte entonces en falso sacerdote, no por sus faltas, imperfecciones o debilidades, sino porque desde éstas acude al dios, buscando lo que le falta y lo que no lo es concedido (por el dios) gratuitamente.

La misma idea aparece en la última triada de «Fiesta de paz», donde Hölderlin reflexiona (poéticamente) sobre el proceder anticipativo que él mismo ha seguido a lo largo del poema. Hölderlin, recordemos, ha anticipado la fiesta que celebra la total reconciliación que lleva consigo el final de los tiempos y de la historia. Pero ahora, en el último verso, introduce una metáfora que entra en contradicción con lo dicho anteriormente, la del «madurar». Cito la última estrofa de este poema:

> Como la leona te has quejado,
> oh madre, pues tu, naturaleza,
> has perdido a tus hijos.
> Pues te los robó, a ti,
> que amas en demasía,
> te los robo tu enemigo, que acogiste
> casi como hijo tuyo,
> y hermanaste a los sátiros con los dioses.
> Así has construido
> y has también sepultado,
> pues te odia lo que tu,
> todopoderosa, antes de tiempo
> llevaste a la luz.
> Si lo hubieses sabido no lo habrías hecho;
> pues prefiere descansar
> hasta que madure, abajo, lo activamente temeroso[14].

---

[14] Wie die Löwin, hast du geklagt,
O Mutter, da du sie,
Natur, die Kinder verloren.
Denn es stahl sie, Allzuliebende, dir

Suponiendo que el «enemigo» del verso 146 sea el hombre cabe entonces la siguiente interpretación: los dioses, hijos de la naturaleza, han sido robados por los hombres; un caso, pues, de *hybris*, puesto que el robo acontece en la medida en que el hombre, despóticamente, ocupa el lugar que corresponde a los dioses[15]. Por otra parte, como indican los versos 150/151 *(«So hast du manches gebaut / Und manches begraben»),* en la historia, desde el punto de vista de la naturaleza, hay momentos de ascenso y de retroceso. Esto no supone novedad alguna respecto al Hölderlin de la «vía excéntrica»; lo nuevo es que se espere que «madure» algo valorado negativamente, lo «activamente temeroso *(«Furchtsamgeschäftig»).* Si se acepta que en esta última triada Hölderlin no habla o no habla sólo del proceso histórico-cósmico, sino también de él mismo que, en tanto que poeta reflexiona anticipativamente (y en esta medida alumbra) ese mismo proceso histórico, cabe entonces preguntar si este mismo proceso anticipativo no habrá sido, de igual modo, «activamente temeroso»? Ante el miedo de que no suceda lo que, desde una perspectiva escatológica, ha de suceder (la reconciliación final, etc.), el poeta lo anticipa, sin parar mientes

Dein Feind, da du ihn fast
Wie die eigene Söhne genommen,
Und Satyren die Götter gesellt hast.
So hast du manches gebaut,
Und manches begraben,
Denn es habt dich, was
Du, vor der Zeit
Allkräftige, zum Lichte gezogen.
Nun kennst, nun lässest du dies;
Denn gerne fühllos ruht,
Bis dab es reift, Furchtsamgeschäftiges drunten.
     (vv. 142-156)

[15] Cfr. W. Binder, «Hölderlins Friedensfeier», en A. Kolletat (ed.), *Hölderlin. Beiträge zu seinem Verständnis in unseren Jahrhundert,* Tübingen, Schriften der Hölderlin Gesellschaft (bd.3), 1962, pp. 342 y ss.

en que los tiempos, quizá, aún no estén maduros. ¿No cantará el poeta «antes de tiempo», *«vor der Zeit»*, como dice el verso 152 de «Fiesta de paz»?

La cosa está clara y Hölderlin la aclara aún más en la famosa nota que acompaña al verso donde puede leerse la expresión *«wenn er nahet»*: «La esfera que es más elevada que la del hombre, ésta es la del dios»[16]. Lo que aquí está en juego es la estricta separación de dos esferas: humana y divina. ¿Qué hacer entonces? De acuerdo con «[...El Vaticano...]»:

> Guardar a dios puramente y con distancia,
> esto es lo que nos está confiado[17].

La tarea del hombre (y muy especialmente en tanto que poeta) consiste en guardar, conservar y mantener la divinidad, pero *«mit Unterscheidung»*, esto es, guardar y a la vez guardar la distancia. En último extremo, guardar silencio, pues como dice Hölderlin en este mismo poema unos versos más abajo:

> ... Mas a menudo como una llamarada
> surge la confusión lingüística[18].

Todo esto no quiere decir que la distancia entre el dios y el hombre sea infranqueable, pero sí que no puede ser franqueada por éste, sino sólo por aquél, el dios que se acerca y se manifiesta (y no: es manifestado por el poeta), y que no destruye a los mortales (como le sucedió a Semele o a Tántalo) si éstos, como el poeta, tienen el corazón puro y las

---

[16] «Die / Sphäre / die höher / ist, als / die des Menschen / diese ist / der Gott» (St.A. 2, 675).

[17] Gott rein und mit Unterscheidung
Bewahren, das ist uns vertrauet
(vv. 12-13)

[18] ... Oft aber wie ein Brand
Enstehet Spracherwirrung. . .
(vv. 35-36)

manos inocentes. Por tanto: aguardar desde este estado la venida del dios; lo contrario sería la usurparción tiránica propia de los falsos sacerdotes, la *hybris* de la última estrofa de «Fiesta de paz».

Pues todos han muerto, no sólo Aquiles, Ajax o Patroclo, esos héroes homéricos que no necesitaban acercarse a la divinidad porque ya estaban en su compañía, sino la misma Mnemosyne. Han muerto los héroes y su recuerdo:

> ... y murieron
> otros muchos. Pero en Citerea está
> Eleuthera, la ciudad de Mnemosyne. A la que también,
> cuando el dios se despojó del manto, los occidentales
> deshicieron el peinado...[19].

Beibner[20] interpreta la indicación temporal «cuando el dios se despojó del manto» como la era *«des griechischen Göttertages»*, de manera que la muerte de Mnemosyne, y por tanto de sus hijas las musas (entre las que está la poesía), data de aquellos tiempos homéricos en los que la divinidad, despojada de su manto, era presencia concreta y visible. Las implicaciones de esta perspectiva son drásticas: si el hombre hespérico ha perdido la posibilidad de la memoria como madre de la poesía, entonces está condenada la misma voz poética de Hölderlin[21]. Ideas parecidas se expresan en muchos de sus últimos poemas; por ejemplo, en «[Antiguamente pregunte a la musa]»:

---

[19] ... Und es sterben
Noch andere viel. Am Kithäron aber lag
Eleutherä, der Mnemosyne Stadt. Der auch, als
Ablegte den Mantel Gott, das Abendliche nachher löste
Die Locken...
(vv. 44-48; 3.ª versión)
[20] St.A. 2,2,829.Tb. «Hölderlins letzte Hymne», en *Hölderlin Jahrbuch*, 1948/49.pp. 78 y ss.
[21] Cfr. Th. E. Ryan, *Hölderlin's Silence*, New York, Lang, 1988, p. 323.

Antiguamente pregunté a la musa,
y me contestó:
al final lo encontrarás.
ningún mortal puede hallarlo[22].

Nótese que, realmente, no se sabe ni qué es lo que poeta ha preguntado a la musa, ni tampoco cuál ha sido su respuesta. Sólo dos cosas dice el poema: que al final la encontrará y que ningún mortal puede aprehenderla. Pero el poeta es mortal. De donde se sigue que, en sentido estricto, su «encontrar» no puede ser un «aprehender», sino más bien un «recibir». Ahora bien, sólo en el silencio se puede recibir. Por esto, como dice el verso 5, el poeta debe callar:

De lo más elevado debo callar[23].

Hölderlin anticipa aquí, de alguna manera, esa paradoja característica de buena parte del arte contemporáneo y que consiste en propugnar el silencio hablando: no se trata de que el mismo discurso desemboque finalmente en la necesidad del silencio, sino de que aquél sea vehículo de éste. Dicho de otra manera: el imposible de un lenguaje que no diga la cosa, sino que se limite a ser medio a través de la cual ésta acontece. No se trata ahora, como era el caso en páginas anteriores, de la concepción performativa del lenguaje, no se trata de un lenguaje que cree realidad al anticiparla poéticamente, pues Hölderlin sabe que esta actitud es *hybris*. Los dioses, la divinidad o el dios no son invenciones de la palabra poética, sino que existen verdaderamente, aunque por desgracia no pueden ser dichos, esto es, mentados denotativa o deípticamente; pero pueden ser, digámoslo así, «transparentados». La para-

---

[22] Einst hab ich die Muse gefragt, und sie
Antwortet mir:
Am Ende wirst du es finden.
Kein sterblicher kann es fassen.
   (vv. 1-4)
[23] Vom Höchsten will ich schweigen

doja, en definitiva, de un lenguaje que no dice la cosa, sino que se limita a leerla en su ensimismamiento. Susan Sontag, en su ensayo dedicado a la estética del silencio, distingue entre «mirar» y «fijar la vista»: «La mirada es voluntaria y también es móvil: su intensidad aumenta y disminuye a medida que aborda y luego agota sus focos de interés. El hecho de fijar la vista tiene, esencialmente, una naturaleza compulsiva: es estable, carece de modulaciones, es fijo»[24]. El silencio, continúa Sontag, es una metáfora «para una visión limpia, que no interfiera». Se trata, por tanto (y aquí pienso más en Hölderlin que en el arte contemporáneo que centra la atención de la escritora norteamericana), de fijar la vista directamente, sin mediaciones ni ruidos. Pero el problema, que Hölderlin percibe agudamente, es que el mayor ruido es el lenguaje que quiere decir la cosa. Sería necesario un lenguaje silencioso y cristalino: en el cristal más puro no hay nada, excepto la luz que se filtra a través de él. Un lenguaje que no dijera la cosa, sino que se limitara a leerla.

De esta forma, se completa el proceso de radicalización recorrido por Hölderlin: de la insuficiencia de la filosofía de Fichte para decir las cosas más elevadas se pasó, como ya señalé, a la insuficiencia del mismo discurso filosófico como tal, para llegar, finalmente, a proclamar que tampoco la poesía puede satisfacer el cometido de decir lo más elevado. Como dice en «[¿Qué es dios?]»[25]:

> ¿Qué es dios? Desconocido, mas
> lleno de sus cualidades
> está el rostro del cielo...[26].

[24] Cfr. «La estética del silencio», en *Estilos radicales*, Barcelona, Muchnik Editores, 1985, 24.

[25] Cfr. la interpretación de D. Lüder, *op. cit.,* p. 399.

[26] Was ist Gott? unbekannt, dennoch
Voll Eigenschaften ist das Angesichts
Des Himmels von ihm...
(vv. 1-3)

Dios mismo permanece desconocido e invisible, pero se reviste con un manto que es visible para los hombres, que no les permite conocer la misma divinidad, pero sí algunas de sus propiedades. Ahora bien, este manto es «*das Fremde*», lo desconocido y extraño, en donde se manifiesta la divinidad; por ejemplo, el trueno o el rayo:

> ... Los rayos son la ira
> de un dios. Cuanto más inaprehensible
> más extraño se torna. Pero el trueno
> es la gloria del dios[27].

La idea se repite en muchos de estos últimos poemas fragmentarios: la divinidad no se puede *decir* (ni filosófica ni poéticamente), pero su presencia se puede *leer,* especialmente en el cielo y en los fenómenos atmosféricos que lo pueblan: el rayo, el trueno, las nubes... Así pues, se pasa de decir la cosa a aguardar que ésta se exprese a sí misma en su misma presencia, con lo cual se acaba la concepción performativa de la poesía, y no sólo porque los tiempos aún no estén maduros para el canto del poeta, sino porque puede que nunca lleguen a madurar.

En las «Notas Antígona» Hölderlin distingue entre una «tendencia eterna» y Zeus, dios supremo, que se opone a dicha tendencia[28]. Zeus, «padre del tiempo» o «padre de la tierra», apunta a este mundo, mientras que la tendencia eterna apunta a otro, el del desenfreno y los muertos. En este contexto, la tarea de Zeus, su «carácter» como dice Hölderlin, es doble: por una parte, se mantiene entre esta tierra y el mundo desenfrenado de los muertos; por otra, fuerza al «curso de

---

[27] ...Die Blitze nämlich
Der Zorn sind eines Gottes. Jemehr ist eins
Unsichtbar schicket es sich in Fremdes. Aber der Donner
Der Ruhm ist Gottes
(vv. 3-6)
[28] P. 147 (St.A.,5,268).

la naturaleza eternamente hostil al hombre» a que abandone su camino hacia el otro mundo y lo dirige a esta tierra. Zeus, pues, persigue una tierra orgánica y por eso debe dominar y combatir las tendencias aórgicas que yacen en la naturaleza. Anke Bennholdt-Thomsem ha sugerido de forma muy convincente que lo que aquí se trae entre manos Hölderlin es la extensión al todo de la naturaleza del modelo de tensión cultural que había desarrollado en las cartas a Böhlendorff: «Hölderlin translada la tarea de mediación entre lo propio y lo ajeno, entre el carácter igneo y el sobrio, que había atribuido a las culturas, a la misma naturaleza en tanto que fundamento originario y meta de las culturas»[29]. Hölderlin escribe: «Para nosotros, dado que nosotros estamos bajo el Zeus más auténtico, que no sólo *se mantiene en el medio* entre esta tierra y el mundo desenfrenado de los muertos, sino que el curso de la naturaleza, eternamente hostil al hombre, sobre su mismo camino al otro mundo, él lo *fuerza más decididamente hacia la tierra* (...)»[30]. Como señala Bennhold-Thomsen[31], con la expresión «el Zeus más auténtico» Hölderlin no puede querer estar diciendo que Zeus no es más propio a nosotros, habitantes de las Hespérides, que a los griegos, en la medida en que nosotros, según nuestro origen, estamos más orientados a la tierra, sino que Zeus, en tanto que padre de la tierra, tiene que mostrar este carácter de manera más decidida frente a nosotros (que nos apartamos de la tierra) que frente a los griegos, cuyo «impulso a formar» *(Bildungstrieb)* se atenía sin más a la tierra: de los dos movimientos contrapuestos, Hölderlin entiende que es propio de Zeus el que apunta a la tierra y a la sobriedad junónica.

Al finalizar el capítulo II ya señalaba que entre el tiempo pasado y el tiempo aún por venir hay un momento inter-

---

[29] «Dissonanzen in der...», p. 23.
[30] «Notas a Antígona», p. 149 (St.A., 5, 269).
[31] Cfr. *op. cit.,* p. 24.

medio al que Hölderlin, en «El devenir en el perecer», llama «hueco», y en las «Notas...» «giro categórico del tiempo». Sugería también que entre uno y otro texto hay un proceso de radicalización y que Hölderlin llega progresivamente a la conclusión de que en vez de un nuevo mundo y una nueva sociedad puede también surgir un caos: puede imponerse, no Zeus, sino la tendencia eterna, el mundo desenfrenado de los muertos y el curso de la naturaleza eternamente hostil al hombre, es decir, la Grecia más auténtica y más oriental, que poco a poco se ha ido manifestando a Hölderlin en su naturaleza horrendamente aórgica. En 1797, en carta a Ebel del 10 de Enero, aún puede escribir: «Y en lo tocante a lo general, tengo *un* consuelo, y es que toda efervescencia y disolución tiene que conducir necesariamente o a la aniquilación *(Vernichtung)* o a una nueva organización. Pero puesto que no veo aniquilación, pienso que por lo tanto de nuestra muerte tendrá que salir la juventud del mundo»[32]. En 1803-1804 Hölderlin sí que ve aniquilación, y no sólo en el nivel político (que es donde hay que situar la citada carta a Ebel), sino también en un plano cósmico, puesto que está implicada la misma naturaleza. Así pues, no se trata simplemente de que los tiempos no estén maduros para el canto del poeta, sino de que la perspectiva escatológica, que exige un modelo histórico-temporal cerrado y teleológico, es absolutamente incompatible con un desarrollo histórico que está abierto al caos y al desenfreno. Ahora sí que hemos vuelto a Grecia, pero a la Grecia de las luchas entre Titanes y Olímpicos.

Ante esta situación sólo cabe la obediencia y la sumisión *(Mit Untertänigkeit)* del que espera el resultado de esta lucha y sabe que no puede hacer nada por acelerar este proceso. Sólo, como Scardanelli, contemplar el paso rítmico y cíclico de las estaciones y atenerse a la inmediatez más absoluta.

---

[32] St.A., 6, 229 (n.º 132).